CARLOS PASCUAL

EL LIBRO DE ORO DE
ANDALUCIA

GRANADA - SEVILLA - CORDOBA - MALAGA - CADIZ - COSTA DEL SOL - ALMERIA
JEREZ DE LA FRONTERA - ARCOS DE LA FRONTERA - ÚBEDA - BAEZA - JAEN

BONECHI

Impreso en Italia por Centro Stampa Editoriale Bonechi.

Fotografías de Luigi Di Giovine.
Página 117: fotografías de Paolo Giambone; *página 119: fotografías de* Andrea Pistolesi.

ISBN 88-7009-572-X

INTRODUCCION

Andalucía, lo andaluz, son tópicos conocidos en todo el ancho mundo. Es decir, como ocurre con los tópicos, desconocidos por completo. Andalucía no es ese tipismo de pandereta, ese embrujo moruno, ese colorismo chillón y esa gracia de plástico y purpurina que evoca en muchos que creen saber de ella, sobre todo entre los extranjeros.

Andalucía posee, desde luego, una personalidad histórica. Pero el elemento árabe — el que más chocaba al espectador de fuera, sobre todo a los europeos — es sólo una raíz más de las muchas que sustentan la unidad de esta región. Andalucía es una de las diecisiete regiones autónomas del Estado español, una de las más extensas, con ocho provincias regidas por un gobierno autónomo, la Junta Andaluza. Para los españoles, es una de las llamadas «nacionalidades históricas», es decir, una región que ha ido forjando su unidad y su entidad a lo largo de los siglos.

En efecto, a esta región del sur de España, en la que existían reinos florecientes aludidos ya en la Biblia, llegaron sucesivas oleadas de visitantes que acabaron integrándose en su substancia. Fueron fenicios comerciantes con naves bien repletas, a la ida y a la vuelta; fueron griegos intrépidos y curiosos; fueron en mayor número y peso romanos organizados y racionalistas que implantaron aquí una de sus provincias, la Bética; fueron también los «bárbaros» del septentrión que llegaron a cruzar el estrecho; fueron después, por ese mismo estrecho, los árabes los que penetraron en la península, convirtiendo a Andalucía, durante los tiempos medios, en la región más floreciente y culta del mundo civilizado. Con la «reconquista» cristiana, la sangre se va decantando y la «personalidad» histórica va cuajando, pero aún seguiría sumándose sangre sajona de aventureros atraídos por la epopeya de las Indias, repobladores traídos por la Ilustración política, comerciantes ingleses del vino más universal, el jerez, el sherry...

Todos estos elementos Andalucía los aglutina, los hace suyos, los asimila. Lo romano está tan presente en el espíritu — y en el paisaje — andaluz como lo árabe, lo judío o lo cristiano. A esta pluriformidad de sus raíces étnicas e históricas corresponde una insospechada pluralidad y variedad de paisajes. Andalucía es ante todo el mar, ese Mediterráneo antiguo tan presente en su historia y su cultura, que sirve de palio fundidor entre la Andalucía oriental y la Andalucía occidental. Pero andaluzas de inconfudible sabor son también las serranías de pueblos blancos, la de Ronda, la de Cazorla, la Sierra Nevada, la Sierra Morena... Andaluces son los desiertos de Almería, calcinados por ese sol que constituye otro de los tópicos más beneficiosos para el turismo; pero andaluces son también los cortijos en las campiñas anchas y feraces, las marismas embalsamadas de eucaliptus...

Andalucía posee una unidad histórica hecha de variedad y contraste: el mar de los dioses junto a los riscos de los bandoleros, los arcos morunos junto a las columnas romanas o los artesonados mudéjares, la alegría y la vitalidad paganas junto a Vírgenes y Cristos enjoyados hasta los dientes, la más joven y progresista inquietud social junto a un senequismo, un fatalismo coránico y una cachaza de siglos...

La imponente mole de la Alhambra se recorta sobre las cercanos montes de Sierra Nevada.

La Puerta de la Justicia y la fuente renacentista de Carlos V. ▶

GRANADA

Cuando el poeta andaluz Manuel Machado quiso definir a Granada en cuatro palabras, eligió las siguientes: «agua oculta que llora». En efecto, lo que resulta más sorpendente de esta provincia andaluza, recostada entre las cumbres más elevadas de la Península y el litoral, es esa proximidad de la nieve y el mar. Es casi un tópico la sorpresa de los turistas que, allá por la primavera, esquían por la mañana en las pistas de la Sierra Nevada y se bañan por la tarde en las tibias playas de Motril, Salobreña o Almuñécar. El agua es como el alma de Granada, que se filtra en las altas cimas de la sierra, empapa como una savia su geografía y reaparece generosamente en regatos, fuentes, riachuelos o acequias. Granada fue el último reducto árabe en España; cuando ya toda la Península era de nuevo cristiana, los últimos nazaritas acompañaban el esplendor imaginativo y barroco de sus arquitecturas con el susurro de surtidores y fuentes. El alma de Granada, el agua cantarina, es en estos palacios y estancias nazaríes un elemento arquitectónico tan importante como el ladrillo, el mármol o el yeso de ataurigues y mocárabes. Cuando el último rey granadino, Boabdil, es sitiado y derrotado por los Reyes Católicos, en 1491, abandona la ciudad con lágrimas en los ojos: no era debilidad de mujer, como la reprochara su madre, según la leyenda: era el alma de Granada que asomaba por última vez a sus ojos.

Si la herencia nazarí ha sido generosa y potente para Granada, no lo ha sido menos la implantación cristiana. La sombra ancha y cimera de la Alhambra no puede ocultar la algarabía de torres, campanarios, conventos, palacios, hospitales... La pervivencia de elementos culturales tan dispares han hecho del granadino un carácter abierto, tolerante, agónico en el sentido más unamuniano: no es casualidad que fuera granadina Mariana de Pineda, uno de los grandes mitos femeninos españoles, que bordara la bandera de la libertad contra el absolutismo y que por eso mismo fuera ajusticiada en Granada, en su Granada; no es casualidad que fuera granadino el liberal y atormentado Angel Ganivet, el suicida; ni es casualidad que fuera granadino Federico García Lorca y que fuera fusilado en Granada, en su Granada.

LA ALHAMBRA

Sobre una empinada colina que preside la ciudad, frente al cerro gemelo del Albaicín y separada de él por el curso del Darro, con el telón de fondo de los picachos plateados de la Sierra Nevada, se alza la Alhambra, el Castillo Bermejo (eso quiere decir la palabra árabe, aludiendo a la arcilla roja con que se fabricaron sus muros). El más impresionante, el más bello, el más antiguo y mejor conservado palació árabe del mundo.

El primer rey de la dinastía nazarita, Alhamar, decidió trasladar su corte en 1238 desde el Albaicín, donde se hallaba el principal núcleo de población, a la vecina colina. Los sucesores de Alhamar fueron engrandeciendo y ensanchando este conjunto monumental: Abu Hachach Yusuf I y su hijo y sucesor, Mohamed V, fueron en el siglo XIV los fautores de las principales reformas y construcciones que han llegado intactas hasta nosotros. Un complejo de torres, murallas, palacios y jardi-

Vista de la Alcazaba,
la parte más antigua de la Alhambra.

Las poderosas torres de la Alcazaba.

nes adaptándose a la orografía del terreno e impregnándolo del más refinado espíritu oriental. Tras la conquista cristiana, en el siglo XV, siguió siendo Casa Real y aún se efectuaron algunas construcciones nuevas y reformas.

Tras una ascensión por la Cuesta de Gomérez que es ya todo un ritual iniciático, remontándo las románticas avenidas de la alameda, por cuyos setos baja incontenible y dicharachera el agua, el viajero va a enfrentarse a uno de los conjuntos monumentales más ricos y complejos que imaginarse pueda. La puerta de las Granadas (siglo XVI) es el primer paso en la iniciación. A la derecha quedan las Torres Bermejas, levantadas en el siglo XI o XII para reforzar la muralla. Tras cruzar la alameda (se puede hacer en coche) hay que atravesar la Puerta de la Justicia y posteriormente la Puerta del Vino, para llegar a la espaciosa Plaza de los Algibes, llamada así por los depósitos subterráneos que se dispusieron en el siglo XVI, y que puede servir de centro de operaciones para organizar la visita a los diversos sectores.

Sala principal del Mexuar, transformada en iglesia cristiana durante el siglo XVII.

Pórtico septentrional del Patio del Mexuar.

◀ *El magnífico techo del Cuarto Dorado, de madera labrada y dorado.*

Patio de los Arrayanes y torre de Comares, la más alta construcción de la Alhambra con sus 45 metros de altura.

Para seguir un cierto orden cronológico, la visita puede comenzar por la **Alcazaba**, que es, como su nombre indica, un fortín, un auténtico castillo vigía para defender los palacios residenciales de la Alhambra. Entre esta y la Alcazaba hay que cruzar el Jardín del Adarve, un sencillo jardín perfumado agrestemente por el boj en lo que fuera otrora un dispositivo defensivo. El elemento más importante de la Alcazaba es la **Torre de la Vela**, asi llamada porque «velaba» sobre la ciudad con su estratégica posición; desde allí se tocaba a rebato en los momentos de peligro y se ordenaba con sus toques el turno de riegos en la Vega. Esta torre es un mirador privilegiado para apreciar este enclave sin par: a lo lejos, las cumbres nevadas de la sierra; abajo, la ciudad vieja apiñada en torno a sus dos colinas y la ciudad nueva, desparramándose y corriendo al encuentro con la Vega; en torno, los palacios y jardines del conjunto. En el centro de la Alcazaba está la Plaza de Armas, en la que se pueden observar restos de pequeñas construcciones de acuartelamientos. Al Albaicín dan la Puerta y la Torre de Armas.

Tras esta visita preliminar podemos ya introducirnos en la intimidad de los palacios residenciales, donde la delicada filigrana del detalle y la más refinada sensualidad constrastan con la aspereza guerrera de los recintos y dispositivos defensivos. El palacio se organiza fundamentalmente en torno a dos patios: el de los Arrayanes y el de los Leones. En torno al Patio de los Arrayanes se desenvuelve la actividad más bien pública y representativa: audiencias, despachos, recepciones. Los aposentos en torno al patio de los Leones poseen un carácter más íntimo y familiar, y en ellos se desarrolla la vida privada de los sultanes.

Dejando a nuestra izquierda los jardines de Machuca, penetramos en la **Sala del Mexuar**, o Sala del Consejo, la que más metamorfosis ha sufrido, transformada por Carlos V y convertida en oratorio en 1629; se conservan no obstante restos de la policromía original, y azulejos y ataeriques de tiempos de Mohamed V; los mocárabes de la pequeña capilla del fondo son una restauración reciente. Conviene a propósito de estos arreglos y «restauraciones» (con los que nos estaremos encontrando continuamente en la Alhambra) tener presentes las observaciones que hace Gallego Burín en su clásica «Guía artística e histórica de la ciudad de Granada»: «A pesar de la actual homogeneidad del conjunto de estas

construcciones hay sin embargo, entre los últimos palacios diferencias esenciales, pues mientras el de Comares es esencialmente musulmán, el de los Leones presenta anómalas variaciones e influencias de tipo cristiano, sin duda derivadas de las relaciones mantenidas por su constructor, Mohamed V y el rey de Castilla Pedro I. Estas observaciones se hacen a veces difíciles de explicar por el obstáculo que ofrecen en la Alhambra los problemas de cronología, a causa de la frecuencia con que se renovaban sus decorados y de las numerosas restauraciones realizadas desde los tiempos de los Reyes Católicos, primero por artífices moriscos, cuya labor se confunde fácilmente con las obras antiguas, y después prodigadas en los tiempos modernos con mecánica perfección».

Tras atravesar el Patio del Mexuar, con su enlosado de mármol, nos hallamos ante el **Cuarto Dorado**, también llamado del Mexuar, de la Mezquita y de Comares (la toponimia de toda la Alhambra es variable, según las guías, y motivo de bastante confusión). Lo más impresionante de este Cuarto Dorado es la fachada sur, que sin ninguna duda es una de las piezas más interesantes de toda la Alhambra, con sus atauriques y azulejos del mejor momento nazarí.

Dando un pequeño rodeo vamos a salir por fin al celebrado Patio de Comares, más conocido como Patio de los Arrayanes o de los Mirtos (*arrayán* es la palabra árabe equivalente al término grecolatino de *mirto*) o de la Alberca, o del Estanque... El **Patio de los Arrayanes**, que parece bastante mayor de lo que es en realidad (36,5 metros × 23,5) resume todo el equilibrio y serenidad de la arquitectura nazarí, aunque también ha sufrido numerosas manipulaciones arquitectónicas (se destruyeron aposentos en la galería sur para encajar el palacio renacentista de Machuca y, en pleno siglo XIX, una familia de arquitectos, José, Rafael y Mariano Contreras, realizaron tantas y tales modificaciones que, al decir de algunos exagerados — el andaluz siempre tiende a la hipérbole — ¡los Contreras serían los auténticos constructores de la Alhambra! Afortunadamente, los últimos conservadores y restauradores han hecho desaparecer todo lo espúreo y han tratado de devolver su primitiva pureza a estos aposentos).

El patio se ve dominado por la imponente masa de la **Torre de Comares**, que pertenece al cordón amurallado del recinto y que con sus troneras y almenas y su mole formidable pone un aire grave y guerrero, subrayando así el carácter «público» y oficial de este sector del Palacio. Un airoso pórtico que se duplica frágilmente en la superficie de la alberca da paso a la **Sala de la Barca**, cuya denominación se debe, no al artesonado de cedro en forma de quilla, sino a una corrupción del término árabe *baraka* (bendición divina, suerte). El techo de esta sala desapareció en un incendio en 1890 y hubo de ser totalmente rehecho. Esta pieza servía de antecámara para el **Salón de Embajadores**, el más amplio de palacio, que hacía las veces de salón de trono donde el emir recibía a los emisarios extranjeros. Esta sala cuadrada, de más de 11 metros de lado, alcanza una altura de casi veinte. En los laterales exentos de la sala se abren tres balcones, el central geminado, y sobre ellos dejan filtrarse la luz ventanas con celosías de madera, perdidas en una selva de grafismos y lacerías. Desde estos balcones se tiene una de las mejores vistas sobre la alameda que desciende hasta el curso del Darro. La decoración de esta pieza es un prodigio de alicatados, yeserías de lazo, atauriques, mocárabes, etc., que producen con su policromía y su maraña de geometrismos una especie de hipnotismo nirvanático en quien se detiene a contemplarlos. Este salón, según una dudosa tradición, habría sido el escenario en que se firmaron las capitulaciones para que el rey moro Boabdil el Chico entregara la ciudad a los Reyes Católicos, acampados con sus huestes en Santa Fe (en realidad, fue en esta población donde se firmó la rendición). Otra leyenda no menos aúlica afirma que fue aquí donde la reina Isabel ofreció sus joyas a Colón para financiar la aventura del descubrimiento. Amén de otras historias y leyendas protagonizadas por Boabdil y su madre...

Volvamos de nuevo al Patio de los Arrayanes y miremos hacia nuestro frente: otro pórtico gemelo se refleja en el cabo opuesto de la alberca; en los aposentos que se hallan encima se encontraría alojado, según algunos, el *harem* del monarca.

Tres imágenes de la Sala de los Embajadores, con ricas decoraciones de mármol y azulejos.

Dos imágenes del Patio de los Leones, cuya gran celebridad lo ha convertido en el símbolo de la Alhambra por antonomasia.

En las dos páginas siguientes, otros dos detalles del Patio de los Leones. ▶

Por el flanco opuesto al que cruzamos para entrar en el Patio de los Arrayanes, una pequeña salida nos conducirá al otro bloque o sector de palacio, al más intimo y privado. El **Patio de los Leones** es el oasis magnífico y humanizado en torno al cual se abren las diferentes salas. Las finas columnas de mármol blanco se multiplican gratuitamente como gráciles palmeras y se adelantan hacia la fuente central, cuyas aguas se fragmentan y dispersan llevando los reflejos de la luz a la penumbra de los aposentos. Son 124 columnas, a veces agrupadas en parejas o incluso en grupos de tres o cuatro, como en los templetes. Los capiteles, a pesar de su elegante y estilizada similitud, son todos diferentes. Los mocárabes de los templetes enfrentados constituyen una magnífica labor de carpintería y contribuyen, junto con las columnas, a dar esa sensación de «palmeral», de oasis, que, por más que resulte tópico, tal vez sea la imagen que mejor refleja el espíritu elegante y sereno de este singular patio, uno de los más pequeños (28×15 metros, apenas 441 metros cuadrados) y sin embargo uno de los más conocidos y célebres del mundo.

Los doce leones, arcaicos y estilizados, que sustentan la taza con sus lomos son, sin embargo, algo tardíos (siglo XVI), pero la taza en sí es una magnífica pieza varios siglos anterior. En su borde, existe un fragmento de la *casida* dedicada por el poeta Zemrec a Mohamed V, grabada en el mármol y donde se dice, entre otras cosas: «¿Por ventura este jardín no nos ofrece una obra cuya hermosura quiso Dios que no tuviera igual?». La fuente ha recobrado ahora su aspecto primitivo, lo mismo que el templete oriental, pues en el siglo XVII se había añadido una segunda taza a la fuente y aun un tercer cuerpo en 1838, y al templete se le había encasquetado una cúpula un tanto fantasiosa y chirriante.

En el extremo por el que hemos sorprendido la intimidad de los sultanes, es decir, viniendo del serrallo, por el oeste, se encuentra la **Sala de los Mocárabes**. El nombre lo debe a la labor de yesería de su bóveda, aunque desaparecida en una explosión en 1590 y rehecha en el siglo XVII (hoy quedan como muestra parte de la primitiva y parte de la que se hizo para sustituirla). Por tres arcos, también de mocárabes que gotean como sauces, se accede al patio.

Al lado derecho, es decir, por el sur, la **Sala de los Abencerrajes** arropa sombríos recuerdos: en efecto, según una leyenda borrosa, allí hizo degollar el monarca

◀ *La cúpula a estalactitas de la sala de las Dos Hermanas.*

Detalle de la decoración de la sala de las Dos Hermanas, una de las más suntuosas de todo el palacio.

reinante (no se sabe bien si Mohamed, Muley Hacen o Boabdil) a la flor y nata de la célebre estirpe granadina de los Abencerrajes. Según la tradición, las manchas ferruginosas que recostran el mármol de la fuente serían debidas a la sangre de aquellos burlados guerreros, sacrificados uno a uno según entraban en la sala.

Al fondo, es decir, en el extremo opuesto a la sala de los Mocárabes, se encuentra la **Sala de los Reyes**, o Sala del Tribunal, o de la Justicia. Se divide esta pieza en tres partes que se corresponden con los tres arcos de entrada, formando compartimentos cubiertos por cúpulas de mocárabes, con ventanillas de arco dispuestas en sus arranques.

En los extremos de la sala se abren alcobas en las que se halla la mayor curiosidad de esta pieza: se trata de unas pinturas sobre cuero forrando las cúpulas de madera. No es que sean de gran calidad, pero resultan muy interesantes por la escasez de representaciones figurativas en todo el recinto de la Alhambra. Según afirma Gallego Burín «mucho se ha discutido sobre estas pinturas, de cuya estirpe cristiana no es posible dudar». En efecto, datan del siglo XIV y probablemente fueron ejecutadas por artistas cristianos procedentes de Sevilla; algunos incluso aventuran que el artista podría tener origen o formación toscana, dado el sabor italianizante de estos óleos representando a los sultanes y sus antepasados.

En el otro lateral, por último, la **Sala de las Dos Hermanas**, una de las más barrocamente bellas de todo el conjunto y que debe su nombre a las dos grandes losas gemelas de mármol blanco que se encuentran en el centro de la habitación, enmarcando la fuente interior. Estos aposentos constituían al parecer la residencia de la Sultana y de sus parientes, y en ellos se recluían las

El exquisito Mirador de Daraxa (o Lindaraja), con su bellísima decoración de estuco sobre las paredes, similar al marfil incrustado.

Vista desde lo alto del recogido y poético Jardín de Lindaraja.

esposas oficiales con sus hijos al ser repudiadas por el monarca. Los zócalos de azulejo, la policromía de los estucados y los mocárabes de la cúpula dan a este aposento toda la recargada suntuosiad de un joyero. La sala, construida durante los últimos días del reinado de Mohamed V, posee dos salitas a los lados, una llamada Sala de los Ajimeces, y el romántico balcón o Mirador de Daraja.

La **Sala de los Ajimeces**, así llamada por dos balcones gemelos que dan al jardín (y que no son precisamente «ajimeces», pues el ajimez es un mirador velado y cerrado con celosías), se halla cubierta con una preciosa techumbre de mocárabes labrada sin embargo en época tardía (siglo XVI).

El **Mirador de Daraja** o Daraxa debe su apelativo a la expresión árabe «l'ain dar aixa», es decir, «los ojos de la casa de la sultana»; sin embargo, una de las muchas leyendas vinculadas a estos palacios querría que el nombre le viniera de Lindaraja, hija del alcaide de Málaga para quien habría sido construido este derroche de romántica fantasía.

La belleza de este lugar es doblemente subyugante si tenemos en cuenta que está conseguida a base de elementos tan humildes y ruines como el yeso, el ladrillo, la cerámica... pero también con la luz, la sombra, el agua, el paisaje y sobre todo, la imaginación. En las paredes se hallan labrados algunos versos que son una ensimismada reflexión sobre tanta belleza: «He llegado a reunir todas las bellezas, en términos que de ellas toman su luz los astros en el alto firmamento». Y otro verso que alude tal vez a la magia de unos materiales efímeros, pero sabiamente aprovechados: «Cuando el que mira contempla atentamente mi hermosura engaña la mirada de sus ojos con una apariencia».

Antes de que este jardín quedara cerrado por el cuerpo de edificación de Carlos V, las vistas no sólo alcanzaban al actual jardín recoleto, sino que se extendían pródigamente a todo el valle del Darro y al Albaicín.

En el ángulo de intersección que forman los dos bloques esenciales de la Alhambra, el Palacio de Comares y el Cuarto de los Leones, se encuentra, a distinto nivel, el *hamman* o **sala de baños**. Para llegar a ellos es preciso descender al Patio de la Reja o de los Cipreses, tras cruzar las habitaciones de Carlos V.

Estos apartamentos fueron construidos cuando el Emperador tenía la intención, al parecer, de hacer de Granada la capital de sus dominios, pero no llegó a utilizarlos. Sí utilizó, en cambio, cuatro de estas habitaciones el escritor norteamericano Washington Irving, quien en 1829 abocetó aquí sus románticos «Cuentos de la Al-

Bella prospectiva de la sala de los Reyes, o sala de la Justicia

Una de las pinturas del techo de la sala de los Reyes, de luminosos colores que se dirían de una miniatura persa.

Blancas casas del Albaicín, vistas desde uno de los numerosos miradores.

Sala de reposo de los Baños Reales, con cuatro columnas que sustentan la parte central y una delicada decoración de mosáicos de mayólica sobre las hornacinas de las paredes. ▶

hambra» (en 1959, al conmemorarse el centenario de Irving, se ambientaron las piezas al estilo romántico). Estas habitaciones se construyeron sobre el jardín y muro de la Torre de Abul Hachach, convirtiéndose la propia muralla y la torre en **Galería del Tocador** y **Tocador de la Reina** (o Peinador, o Mirador de la Reina), ya que se destinaban a la emperatriz Isabel, la esposa malograda de Carlos V. El Peinador y la Galería son, en efecto, un mirador privilegiado sobre el Albaicín; las pinturas que decoran la torre son de dos discípulos de Rafael, Julio Aquiles y Alejandro Mayner.

Los **Baños**, aunque datan de la época de Yusuf, sufrieron profundas y dudosas «restauraciones» en el siglo XIX (por obra y gracia del ya mencionado Contreras). Encontramos, en primer lugar, la Sala de las Camas, en la cual, desde el piso alto, el monarca podía contemplar la salida del baño de sus mujeres y arrojar una manzana a la favorecida por su deseo.

Lo que son propiamente las salas de baños ofrecen una arquitectura sencilla, sin más ornamentación que los zócalos de azulejo. Pero son, por contra, estas piezas las que menos alteración han sufrido.

Comunicado con los Baños se halla el **Jardín de Lindaraja** (o de Daraxa, o de los Naranjos, o de los Mármoles). Este patio no es árabe, sino obra de los arquitectos de Carlos V, y debió sustituir a una terraza o jardín que sirviera de fondo al Mirador de las Dos Hermanas. Pero sí hay algo árabe en este rincón umbrío y silencioso; se trata de la fuente, cuya taza fue traída aquí desde el Mexuar y colocada sobre un fuste dentro de otro pilón renacentista. En el borde de esta taza se halla escrito un poema en recuerdo de Ben Nasar que dice, entre otros versos: «Soy un grande océano cuyas riberas son labores selectas de mármol escogido y cuyas aguas en forma de perlas corren sobre un inmenso hielo primorosamente labrado».

Cuatro imágenes de los Jardines del Partal, con los cinco arcos que se reflejan en las aguas quietas de la balsa. Bellísimo, el techo interno del Partal, de madera labrada.

Desde el jardín de Lindaraja se puede iniciar un interesante recorrido de las murallas y torres que cierran el recinto hasta enlazar con la Puerta de la Justicia, por la que penetramos al principio. Atravesamos primeramente los **Jardines del Partal**, dispuestos en época reciente sobre los solares de las viviendas de militares y criados al servicio de palacio, y sus huertas y ruzafas. Encontramos, como recostada junto a un apacible estanque, la Torre de las Damas, con su pórtico albergando un rico artesonado. Este pórtico es el que da nombre a los jardines (*partal* significa precisamente pórtico). Los leones que montan apacible guardia en el borde de la alberca fueron traídos aquí al demoler, en 1843, el Hospital de locos e inocentes (por cierto, una institución que demuestra el grado de civilización y humanidad racionalista alcanzado por la Granada islámica, cuando en los países cristianos la locura era todavía cosa del diablo). Tras las palmeras que se reflejan en el estanque hay tres viviendas de tiempos de Yusuf, en una de las cuales existen unas interesantísimas pinturas árabes descubiertas en 1907, que son únicas en la España musulmana y contradicen la teoría vulgar de que el Corán prohibía expresamente la representación de seres vivos. Estas escenas de cacerías y animales fantásticos junto a músicos, cantores y guerreros, guardan una estrecha relación con las iluminaciones de manuscritos persas del siglo XIII.

Más allá, junto a la Torre del Mihrab, hay una pequeña mezquita de la época de Yusuf I que debió servir de oratorio para los inquilinos de este sector. Luego viene la Torre de los Picos, defendiendo la Puerta de Hierro, luego la Torre del Cadí, más allá la torre de la Cautiva, decorada en tiempos de Yusuf y en la que según la leyenda vivió cautiva doña Isabel de Solís, la cristiana favorita de Muley Hacen; un texto grabado en las yeserías resulta significativo: «Detente y observa cómo cada figura tiene otra figura de la cual procede y con la cual se combina primorosamente». Luego está la Torre de las Infantas, en recuerdo de las legendarias Zaida, Zoraida y Zorahaida, creadas por Washington Irving), donde ya se deja notar la decadencia del arte nazarita.

No debemos olvidar que, tras la conquista cristiana, la Alhambra siguió siendo Casa Real. También los reyes cristianos dejaron su impronta, si bien discutibile y discutida de antiguo, en este amplio conjunto monumental.

PALACIO DE CARLOS V

El palacio de Carlos V fue empezado por Pedro Machuca en 1526, en el estilo entonces imperante en la Italia renacentista. A su muerte, en 1550, fue su hijo Luis quien prosiguió los trabajos, que se vieron paralizados en el siglo XVII, quedando el palacio inacabado (¡fue Franco quien lo acabó!).

Se trata de una construcción atípica dentro de la tradición española y que acusa la fuerza de la moda italianizante en tiempos del emperador. «Una de las más nobles creaciones de la arquitectura de pleno Renacimiento y tal vez la más hermosa que pueda hallarse fuera de Italia» (Gallego Burín). Además, contra lo que algunos piensan, Machuca no destruyó ningún edificio árabe, sino que aprovechó parte de la *rauda* musulmana o cementerio real. Sobre un amplio cuadro de más de sesenta metros de lado, se inscribe un patio circular con dos pisos de galerías sostenidas por columnas, dóricas abajo, jónicas arriba. Por el lado de la Plaza de los Aljibes y de la Puerta de la Justicia, presenta dos bellas portadas, adornadas la primera con relieves de Juan de Orea y Antonio de Leval (parte inferior) y de Juan de Mijares (parte superior) y la segunda con esculturas de Nicolao

La robusta fachada del palacio de Carlos V y el vasto atrio circular interno, con columnas dóricas en la galería inferior, y jónicas en la superior.

da Corte. En el ángulo más próximo al Patio de los Arrayanes, una capilla octogonal quedó sin rematar por la proyectada cúpula.

En este palacio se alojan el **Museo de Arte Hispanomusulmán** y el **Museo de Bellas Artes**. El primero guarda algunas colecciones de capiteles, atauriques, maderas talladas, cerámica y diversos vestigios recogidos durante las excavaciones llevadas a cabo en la Alhambra. Una de las piezas más destacables de esta colección es el llamado «*vaso de la Alhambra*», uno de los mejores y más raros ejemplos de cerámica hispanoárabe del siglo XIV, con adornos e inscripciones en azul y oro sobre un fondo lechoso.

El Museo de Bellas Artes alberga sobre todo una rica colección de pintura y escultura en la que destacan las tallas y telas de los artistas granadinos.

De entre los diversos artistas aquí representados destacan sobre todo dos puntales de la escuela granadina. El primero de ellos es Juan Sánchez Cotán (1560-1627), quien, aunque originario de la provincia de Toledo y formado en aquella ciudad, se hizo cartujo en 1603 y vivió en la Cartuja de Granada, trabajando allí hasta su muerte en pinturas para el refectorio, claustro y celdas del monasterio; su peculiar tenebrismo debió inspirar sin duda a Zurbarán, con el que comparte el honor de

Bella escultura al ingreso del Museo de Bellas Artes.

Escorzo de la sala dedicada al pintor Pedro Anastasio Bocanegra, con la Historia de María.

La sala llamada de la "chimenea italiana", con una chimenea del siglo XVI en la pared del fondo.

Escorzo de la sala dedicada al pintor Sánchez Cotán, y la sala dedicada a Alonso Cano, pintor del siglo XVII y mayor exponente de la escuela granadina. ▶

ser uno de los máximos artífices de naturalezas muertas al estilo español, es decir, llenas de simplicidad y sobriedad, en brusco contraste con la exhuberancia y desbordamiento sensual de los bodegones entonces en boga en la pintura flamenca e italiana.

El otro gran artista, que tiene aquí una sala exclusiva, granadino de nacimiento, es Alonso Cano (1601-1667), Arquitecto, pintor y escultor, nació en Granada, trabajó en Sevilla y en la Corte madrileña (a la que había sido llamado por el Conde-Duque de Olivares). Tras haber perdido a su segunda esposa, asesinada en 1664 en misteriosas circunstancias, se retiró a la cartuja valenciana de Porta Coeli y acabó sus días solitario y pobre. Es tal vez en sus tallas donde mejor se traduce su fuerte personalidad, aunque también su pintura tenebrista fue estimada por sus contemporáneos, pese a ir contracorriente de la opulencia italiana o flamenca de la plástica de su tiempo.

Hay además buenas piezas de otros muchos pintores y escultores españoles, entre los que cabe mencionar a Roberto Alemán, Iacopo l'Indaco, Diego de Siloé, Juan de Maeda, Juan de Orea, Vicente Carducho (italiano aclimatado al país y seguidor de Sánchez Cotán), Pedro de Moya, Pedro Anastasio Bocanegra... Este último, a quien se dedica una sala, posee una fina sensibilidad y se inspira de cerca en las formas de Alonso Cano. Pedro de Mena también está representado con cuatro imágenes de gran tamaño que realizó en colaboración con Alonso Cano y que se encuentran en la sala a este último consagrada. En el **salón de la Chimenea Italiana**, que debe su nombre a la chimenea del siglo XVI, en mármoles de diverso color, comprada en Génova en 1546 para decorar el palacio de Carlos V, se exhiben otras interesantes pinturas de los siglos XVI y XVII, así como tapices, muebles y armaduras de la misma época.

JARDINES DEL GENERALIFE

Dominando el conjunto de la Alhambra se encuentran los jardines del Generalife (la palabra podría significar precisamente «jardín elevado o huerta excelsa», pero también «jardín del arquitecto», *genna-alarif*), que fue la huerta de recreo de los reyes nazaritas. Posee algunas construcciones de arquitctura muy simple, desde donde se divisa un amplio panorama de la ciudad y de la Vega, con la Alhambra en primer término. Pero el interés del Generalife no reside en su arquitectura precisamente, sino en sus jardines, en los que flota toda la delicadeza y sensualidad que tan bien supo condensar otro andaluz universal, Manuel de Falla, en sus «Noches en los jardines de España». Precisamente en un magnífico escenario natural cerrado por cipreses se celebran cada verano algunas sesiones del ya clásico Festival Internacional de Música y Danza.

Tres hermosas imágenes de los Jardines del Generalife, con el estrecho canal flanqueado de surtidores de agua, rosales, naranjos y cipreses: un oasis de tranquilidad, paz y silencio.

Vista desde lo alto de la maciza mole de la Catedral.

Fachada de la Catedral, erigida por Alonso Cano sobre un proyecto, parcialmente modificado, de Diego de Siloé. ▶

Vista del ábside de la Catedral. ▶

La Puerta del Perdón, con su riquísima decoración barroca. ▶

LA CATEDRAL

El episodio de la «reconquista» cristiana del suelo patrio a los moros debió pesar en los espíritus de la época de una manera sólo comparable a las nuevas perspectivas que abría la casi coetánea aventura del Descubrimiento. Es por ello comprensible que los Reyes Católicos, los que «cerraban» el proceso de unificación histórica y sentaban las bases de un estado moderno, abierto ahora a nuevos mundos, eligieran simbólicamente Granada como lugar para su postrer reposo. Siguiendo su ejemplo, familias e instituciones cristianas sembraron Granada de monumentos de primer orden, que sólo el destello señero de la Alhambra alcanza a paliar y a sustraer a la atención del viajero apresurado.

El más ilustre de estos núcleos cristianos es, claro está, el conjunto catedralicio, con la Capilla Real proyectada como mausoleo de los reyes, el Sagrario, la Lonja de Mercaderes y otros edificios que completan su escenografía, como el Palacio Arzobispal, el Palacio de la Madraza o Cabildo Antiguo, etc.

La catedral fue iniciada en estilo gótico a partir de

Entrada externa de la Capilla Real, de estilo gótico, que acoge los restos mortales de los Reyes Católicos.

En las dos páginas siguientes, el retablo plateresco del altar mayor, las estatuas orantes de los Reyes Católicos y, bajo la cripta, los sencillos sarcófagos reales. ▶

◀ *Vista del lujoso interior de la Catedral, dominado por el contraste entre el oro de la decoración y el blanco de los elementos arquitectónicos.*

1523 por Enrique de Egas, pero fue Diego de Siloé quien impuso finalmente su impronta renacentista, con cinco naves de airosas perspectivas. Fue consagrada en 1561, pero los trabajos se prosiguieron hasta 1703. La fachada fue diseñada por el granadino Alonso Cano y enriquecida, en pleno siglo XVIII, con relieves de J. Risueño y L. Verdiguier. De las varias puertas del templo cabría destacar la de San Jerónimo, obra de Siloé y la del Colegio Eclesiástico, que comporta un bajorrelieve del mismo Siloé.

La **capilla mayor** es una de las más esplendorosas de España, con estatuas de Alonso de Mena (*Apóstoles*) y Pedro de Mena (*estatuas orantes de los Reyes Católicos*) y pinturas de Juan de Sevilla, Bocanegra y Alonso Cano. Las vidrieras de la cúpula fueron ejecutadas por Juan del Campo según diseño de Siloé. Los órganos de trompetería son del siglo XVIII y las pinturas de los altares del transepto son asimismo de Juan de Sevilla y Bocanegra. Abundan en este templo y sus capillas las piezas dignas de retener la atención del visitante, debidas a artistas tan notables como el prodigado Alonso Cano, Ribera, Martinez Montañés... Pero la joya indiscutible de todo el conjunto catedralicio es sin duda la Capilla Real.

Construida en estilo gótico florido por Enrique de Egas entre 1505 y 1507, para alojar los despojos de los Reyes Católicos, enterrados solemnemente en ella en 1521, la **Capilla Real** se halla cerrada por una espléndida *reja*, buena muestra del arte hispano de la rejería, obra de Bartolomé de Jaén (1518). La *tumba de los reyes*, en mármol de Carrara, es una obra maestra de Domenico Fancelli. Más tarde se trajeron también los restos de la hija de los reyes, doña Juana la Loca, y de su malogrado esposo Felipe el Hermoso, cuyo sepulcro es obra de Bartolomé Ordóñez (1526). En el altar mayor sobresale el *retablo* de Iacopo l'Indaco, con esculturas de

Tras las espléndidads verjas de hierro forjado, el mausoleo de los Reyes Católicos, Fernando e Isabel, esculpido por el florentino Domenico Fancelli en mármol de Carrara. Al lado, la tumba de Felipe el Hermoso y Juana la Loca, de B. Ordóñez.

El interior de la sacristía, auténtico museo de pintura flamenca. ▶

Maestro de la Sangre: Piedad. ▶

Felipe de Borgoña y relieves que representan escenas de la toma de Granada y conversión masiva de los moros. En el transepto, el *altar* llamado *del relicario* es obra de Alonso de Mena (1632). En el brazo izquierdo, una pieza destacadisima de Dierik Bouts, un *tríptico* de vivo colorido y estilizadas figuras que se cuenta entre la mejor producción de su autor. Debajo, en la cripta, impresiona la desnudez lúgubre de los sarcófagos de plomo, que sólo contienen vanidad de vanidades: en efecto, fueron saqueados y vaciados durante las guerras contra los franceses de Napoléon.

La *sacristía* de la capilla Real es uno de los museos cualitativamente más importantes de la ciudad. Destacan allí, sobre todo, las tablas de Dierik Bouts, R. van der Weyden (*Nacimiento y piedad*), el *tríptico del Descendimiento*, obra de Hans Memling, un pequeño Botticelli (*Cristo en el huerto de los Olivos*), algunas tallas de Alonso Cano, otras piezas de pintura flamenca y de orfebrería sacra...

El **Sagrario** de la catedral es una elegante construcción de traza renacentista, pero llevada a cabo de 1705 a 1759. En él cabe destacar la pila bautismal renacentista realizada por Francesco l'Indaco. La **Lonja de Mercaderes**, junto a la Capilla Real, es de estilo plateresco y fue construida en 1518 por Juan García de Prades. En el Palacio de la Madraza, antigua universidad árabe (el nombre sería una corrupción de «medersa»), estuvo instalado el primer Ayuntamiento o Cabildo de Granada.

LA ALCAICERIA

Junto al Palacio Arzobispal, ante la popular plaza de Bibarrambla, la Alcaicería, antiguo bazar árabe de la seda invadido ahora por el comercio turístico, nos recuerda, en este nucleo cristianísimo, la pervivencia insoslayable del espíritu morisco, lo mismo que el llamado Corral del Carbón, en las calles próximas, y que es el único ejemplo de *fondouk* o fonda árabe en Europa.

El Tríptico de la Pasión, una de las mejores obras de Dirk Bouts.

El típico bazar de la Alcaicería, reconstruido en estilo mudéjar a finales del siglo pasado.

PASEOS POR GRANADA

Pero estos dos núcleos principales, musulmán y cristiano, Alhambra y catedral, no agotan la riqueza monumental de la ciudad. Será necesario realizar varios paseos para descubrir otra serie de monumentos que, si parecen permanecer en un segundo plano, es sólo por el destello señero de esos dos núcleos principales.

Un primer paseo nos llevaría a la **Universidad**, fundada en 1526 e instalada posteriormente en un colegio jesuita del XVIII. Junto a la universidad, la iglesia renacentista de S. Justo y Pastor y el Colegio Mayor de S. Bartolomé y Santiago, ambos del XVI. Pero lo que más ha motivado este primer paseo nuestro por esta zona son dos iglesias cercanas: la **iglesia de S. Jerónimo**, levantada por Siloé para albergar la sepultura de Gonzalo de Córdoba, el Gran Capitán, con dos patios a caballo del gótico y renacimiento, y la **iglesia de S. Juan de Dios**, uno de los mejores logros de la arquitectura barroca granadina, con su fachada decorada de bajorrelieves y estatuas. Junto a ella, el **Hospital de S. Juan de Dios** cobija una monumental escalera en uno de sus patios.

Fachada con torres de la basílica de San Juan de Dios.

Fachada de San Jerónimo y retablo renacentista.

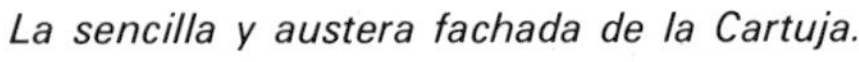

La sencilla y austera fachada de la Cartuja.

"Coro de Legos" al interior de la Cartuja, con pinturas de Sánchez Cotán. ▶

La suntuosa y exuberante decoración de la sacristía, obra de Luis de Arévalo. ▶

LA CARTUJA

Desde el mirador de San Cristobal nos podemos encaminar a otro de los grandes centros de interés granadinos, lo que ha llegado a llamarse «la Alhambra del barroco»: la Cartuja. Fundada en 1516 por Fernando Gonzalo de Córdoba, «el Gran Capitán», sólo conserva la iglesia, la sacristía y el claustro con algunas de sus dependencias anexas. Tras atravesar la portada plateresca y una gran escalera, llegamos a una especie de zaguán donde encontramos los primeros lienzos de Sánchez Cotán (que, como ya dijimos, fue monje en esta cartuja) en sendos altarcitos. Luego visitamos el coro, con la sillería para los monjes y una decoración profusa. Enfrente, el presbiterio presidido por una *Asunción* bajo un baldaquino. La nave está rodeada por una serie de cuadros de Bocanegra (entre los que destaca una *Concepción* antes atribuída a Alonso Cano) y otros cuatro lienzos de Sánchez Cotán, con la mística simplicidad que caracteriza la personalidad del fraile pintor. Por detrás del altar se penetra en el Sancta Sanctorum o **Sagrario** de la iglesia, camarín realizado por Francisco Hurtado Izquierdo en el primer cuarto del siglo XVIII y con una decoración churrigueresca efusiva, desbordante.

El tabernáculo está formado por un baldaquino sobre columnas salomónicas cubriendo el templete que sirve de sagrario. Las esculturas son obra de Jose Risueño y Duque Cornejo. La misma agitación que parece retorcer las columnas del baldaquino recorre y eriza la decoración toda de este recinto, sin permitir descanso a la vista. En la cúpula que cubre el conjunto, pintada al fresco por Palomino y Risueño, reina esa misma agitación, como si el soplo del Espíritu Santo central batiera las alas de los ángeles ingrávidos y las ropas de santos y bienaventurados.

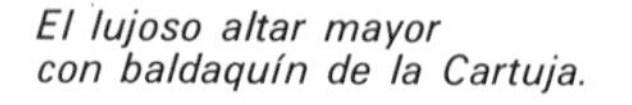

El lujoso altar mayor con baldaquín de la Cartuja.

El refectorio, con las historias de San Bruno de Sánchez Cotán, es una de las pocas partes que se han conservado del antiguo monasterio del siglo XVI.

Este recargamiento decorativo de la Iglesia y del Sagrario se convierte en paroxismo cuando, por una puerta a la derecha, penetramos de pronto en la **Sacristía**, obra churrigueresca de Arévalo y Cabello. Aquí todo, columnas, cornisas, zócalos, capiteles, bóvedas y hasta el mismo suelo, parece vibrar con una agitación incansable. Lo que en las yeserías árabes de la Alhambra era puro geometrismo ordenado y repetitivo, con un predominio contenido de la recta, es aquí un desbordamiento curvo y vegetal que parece luchar para hacer desaparecer cualquier atisbo de arista, de recta, de plano, de superficie o línea tranquila. Todo es aquí pathos, agitación. Como bellamente afirma Pemán «estamos ante una sinfonía de mármoles de Lanjarón, piedra tallada, espejitos, yesos con blandura de crema, taraceas de plata, marfil, concha, ébano y palosanto. Es como un inmóvil terremoto arquitectónico...»

Es difícil, por otro lado, no pensar en el parentesco de este abigarramiento con las ornamentaciones cristiano-criollas de las iglesias de Hispanoamérica. En cambio, en el refectorio, junto al claustro, se impone la austeridad desnuda de las bóvedas góticas cobijando las escenas simples y candorosas de la *vida de San Bruno*, pintadas por Sánchez Cotán. La imagen de este santo fundador de los cartujos, que durante un tiempo se atribuyó a Alonso Cano, es en realidad obra de Mora y, según la conocida broma de todos los guías en todas las cartujas, si no habla es porque es cartujo...

En el barrio del Albaicín quedan todavía los Baños Arabes, con capiteles romanos y visigodos del siglo XI.

En las páginas siguientes, el barrio del Albaicín. En las cuevas del Albaicín, típicas casas excavadas en la montaña, se puede asistir a las fiestas gitanas de las gentes del barrio. A lo alto, la cueva de Zambra, una de las más célebres. ▶

ALBAICIN

Otro recorrido obligado por Granada es el que nos llevará a la altura gemela de la Alhambra, el Albaicín, donde estuvo el primitivo núcleo morisco colonizado por árabes procedentes de la ciudad de Baeza (de ahí el nombre, *Rabad al Baecin*). Después de la conquista cristiana, los moriscos se agruparon en este reducto hasta que, tras la revuelta de navidad de 1568, hubo una matanza y fueron expulsados en su mayoría. El barrio conserva, no obstante, su sabor morisco, lleno de pintoresquismo. Recorriendo sus calles empinadas, se llegan a descubrir plazuelas recoletas, patios cuajados de flores, casas de sabor moruno, iglesias y monumentos importantes. Habría que recomendar sobre todo, la *iglesia de S. Nicolás*, desde cuya terraza se puede abarcar uno de los más bellos panoramas de la Alhambra, y la cercana *iglesia de San Salvador*, mudéjar, levantada sobre el solar de una antigua mezquita. Otro mirador privilegiado es el que se halla aledaño a la *Iglesia de San Cristóbal*, con una interesante panorámica sobra la Alcazaba Cadima y su recinto, levantado en el siglo XI sobre restos de muralla visigoda. Uno de los motivos que más llaman la atención de los turistas es el Bañuelo, **baños árabes** más toscos y descuidados que los que ya vimos en la Alhambra, pero que tienen la particularidad de haber aprovechado para sus columnas capiteles visigodos e incluso romanos, junto a los de factura netamente arábiga. «La construcción parece datar del siglo XI y son sin duda los más viejos, importantes y completos baños públicos árabes conservados en España y de las obras más antiguas de la Granada musulmana» (Gallego Burín).

ZAMBRA
ROCIO
70

ÚBEDA Y BAEZA

Úbeda y Baeza, separadas por escasos kilómetros, son un binomio esencial para el arte renacentista español y la puerta de una de las zonas ecológicas y faunísticas más bellas e importantes de España: la **sierra de Cazorla**.

Úbeda, la más populosa de ambas ciudades, posee un conjunto monumental único. En su plaza bellísima se alza la *iglesia del Salvador*, una de las obras capitales del renacimiento, debida a Vandelvira. Además de su monumental fachada, la sacristía encierra un tesoro de trípticos flamencos. La *iglesia de Santa María de los Reales Alcázares*, del siglo XIII, acusa la huella de los diferentes estilos con que fue remodelada. Cerca de ella, el *Parador Nacional* ha sido instalado en un palacio del XVI. De esa época es la *Casa de las Cadenas*, obra también del Vandelvira. La *iglesia de S. Pablo, la Capilla del Camarero Vago, S. Nicolás, la Casa de los Manueles, la Casa de las Torres, el Palacio de los Lobos*, las murallas, torreones y puertas... todo ello hace de Úbeda una cita ineludible dentro de un periplo andaluz.

Tan nutrida de monumentos como Úbeda, pero mucho más evocadora, al hallarse todo concentrado en un espacio más reducido y ambientado, **Baeza** es otra de las ciudades «imprescindibles» dentro del viaje andaluz. La Baetia romana, luego ciudad visigoda y cabeza del Reino de Tarifa, alcanzó su máximo apogeo en el siglo XVI y es, como su gemela Úbeda, un hito esencial dentro del arte renaciente. El viajero podrá perderse en detalles por este abigarramiento de palacios, casas señoriales, iglesias, conventos, arcos, fuentes, murallas... Se detendrá tal vez con más reposo ante su Catedral, ante las Casas Consistoriales, ante la antigua Universidad o la vieja Cárcel... pero en el recuerdo quedará imborrable la armonía del conjunto y, como dijo Antonio Machado, el poeta que fue en ella humilde docente: «Baeza, soñaré contigo cuando no te vea».

JAEN

El paso de Despeñaperros, un escenario pintoresco que parece concebido como guarida de bandoleros y fuente de inspiración para grabadores románticos, marca el límite, la frontera natural entre las dos mesetas castellanas y Andalucía. A partir de ahí empieza a oírse el «deje» andaluz, un habla musical y ondulada como las colinas cubiertas de olivares que hicieron llamar a Jaén «plateada».

En medio de ese paisaje dulce de olivares tornasolados y geométricos, Jaén, la capital, con una tradición minera que se remonta a la época romana y cartaginesa y se extiende a varios otros centros de la provincia (Linares, La Carolina). Custodiada por el teatral **Castillo de Santa Catalina**, una fortaleza árabe reconstruida por su conquistador cristiano, Fernando III, la ciudad de Jaén ofrece al visitante un atractivo singular sobre todos sus otros monumentos: nos referimos a su **catedral**, uno de los más ilustres ejemplos del arte renacentista español.

Construida en el siglo XVI por Andrés de Vandelvira, las obras se prolongaron durante el siglo XVIII, sobre todo en la fachada, que adquirió, gracias a los relieves y esculturas de los artistas barrocos, el aspecto de un gigantesco retablo dorado por la pátina del tiempo. Aparte de las riquezas artísticas de su interior (sobre todo la sillería del coro) esta catedral posee una singularidad curiosa: en ella se custodia la *Santa Faz*, es decir, según la tradición, el mismo paño con que Verónica enjugó el rostro de Cristo, quedando este plasmado en el lienzo; esta Santa Faz se expone cada año, durante la Semana Santa, que, por cierto, adquiere también en Jaén un colorido peculiar.

Un emocionante momento de una corrida en Sevilla.

Un tiempo lugar donde se ejecutaban las penas capitales, la Plaza de la Falange Española es hoy el centro administrativo de Sevilla.

SEVILLA

Sevilla, la ciudad de la gracia. La quintaesencia de lo andaluz. Para el mundo, Sevilla es ante todo la imágen tópica de unas Virgenes lacrimosas y unos Cristos ensangrentados paseados en el fervor nocturno de sus semanas santas, o la no menos tópica imágen de jinetes con bellas morenas de faralaes a la grupa paseando entre los farolillos de la Feria de Abril. Es una ciudad que, como las más grandes, surge del mito, porque «Hércules la edificó». Y fenicios, griegos, cartagineses y romanos la conquistaron sucesivamente — o fueron sucesivamente conquistados por ella. La vieja Hispalis es el mejor paradigma de la historia andaluza toda. Capital de un reino visigodo, fue tomada por los árabes en el año 712 y llegó a rivalizar en gloria con su vecina Córdoba sultana. La invasión almohade del siglo XII la pobló de construcciones. Un siglo después, el rey santo Fernando entra en la ciudad y deja para siempre allí su cuerpo, su espada y su pendón. Los reyes cristianos llegaron a establecer su corte sobre los alcázares mahometanos. Pero el gran momento de gloria para la urbe sería el que siguió al Descubrimiento. Sevilla llegó a ser la capital efectiva de dos mundos, la Nueva Babilonia, como la llamara Lope de Vega, donde coincidían lo más valioso y noble y lo más mísero; el oro de América las grandes empresas, los ideales religiosos, los dogmas teológicos, los príncipes de las letras y de las artes (Roelas, Velázquez, Valdés Leal, Herrera el Viejo, Herrera el Mozo, Murillo...) y los pícaros, los mendigos, los pobladores varios y compasibles de la infrahistoria.

Su decadencia política fue casi pareja de la general postergación del país, agravada tal vez por algunos episodios domésticos, como la terrible peste de 1649, que se llevó por delante a alguno de sus artistas insignes. Pero ese esplendor pasado no se ha enmudecido para siempre: ahí quedan en pie los vestigios monumentales y únicos de aquella gloria; y sobre todo, ahí sigue firme y operante esa misma vitalidad, esa efervescencia humana que hace que Sevilla sea, no sólo la capital de una extensa provincia, repartida entre la sierra, la campiña y la marisma; sino además la capital oficial de Andalucía, sede de su gobierno autónomo y foco animador de sus inquietudes sociales y políticas.

◀ *Sugestiva vista de la Giralda, símbolo de la ciudad.*

Vista general de la grandiosa mole de la Catedral, la tercera iglesia más grande de toda la cristiandad.

LA CATEDRAL Y LA GIRALDA

Sobre el solar de la mezquita mayor de la ciudad, los cristianos levantaron su templo principal, la catedral. Conservaron, sin embargo, de la antigua mezquita el minarete, que aprovecharon como campanario — la Giralda — y el patio de los Naranjos, que sirvió de peculiarísimo «claustro». Así, en esta simbiosis indisociable, se concreta y ejemplariza en buen parte el alma sevillana.

En efecto, **la Giralda**, ese minarete musulmán rematado ahora por la alegoría de la Fe y el simbolismo mariano de sus cuatro «terrazas» con azucenas, es el símbolo por excelencia de Sevilla y una de las torres más bellas y admiradas del mundo.

Este minarete fue levantado en la época almohade, a finales del siglo XII (son hermanas gemelas, también construidas por los almohades, la torre de Hassan, en Rabat, y la Kutubia de Marrakech). La torre, de casi cien metros de altura, se adorna en su exterior con axaracas y ajimeces que le dan levedad y gracia alada (bien se ve que la inspección de las obras, ordenadas por el emir Abu Yusuf al Mansur, fue encomendada a un poeta, Abubequer Benzoar). Por el interior, en cambio, discurre una sólida rampa por la que pocos años más tarde podría subir a caballo el conquistador cristiano San Fernando. La torre estaba rematada por cuatro globos de bronce dorado, pero un terremoto los derribó y en 1568 se añadieron otros cuatro cuerpos renacentistas sosteniendo la gigantesca alegoría del Triunfo de la Fe, el popular Giraldillo (por ser, en realidad, una veleta giratoria; por cierto, algo no muy adecuado para una representación de la fe; claro, que en Sevilla...); este Giraldillo acabó dando nombre a la torre entera.

La **catedral** se empezó a construir a partir de 1420 en estilo gótico, que es el que predomina, si bien luego se

Desde lo alto de la Giralda puede admirarse perfectamente la planta en cruz de la Catedral.

La gótica Puerta de los Palos, con las esculturas del XVI del Maestro Miguel.

La Puerta del Perdón, en el flanco norte de la Catedral, con las decoraciones platerescas de López. ▶

Una nave de la Catedral, con las poderosas pilastras en haz y el elegante pavimento del siglo XVIII, de jaspe azul y blanco. ▶

prosiguieron las obras en estilo renacentista. Según la tradición, el Cabildo sevillano llamó a los más afamados arquitectos, escultores y canteros con el fin de levantar un templo de grandeza tal que los siglos venideros lo juzgasen un bendito disparate. Y lo consiguieron, ya que la catedral sevillana figura en el pavimento de la Basílica de San Pedro de Roma como el tercer templo más grande de las cristiandad, sólo superado por el propio San Pedro y por San Pablo de Londres (ahora también por la novísima catedral de Abidján). En cifras, son 130 metros de longitud por 76 de anchura, 68 bóvedas sostenidas por las nervaduras que se apoyan en 40 sólidos pilares, por entre los que se deslizan suaves rayos de luz de 93 vidrieras, alumbrando y recortando de entre las sombras a miles o tal vez cientos de miles de estatuas y figurillas de piedra, mármol, barro, madera, hierro forjado... Todo un cosmos humano y divino, animal y vegetal serpenteando en frisos, capiteles, retablos, rejas, sillerías, sepulcros, vidrieras...

Las obras de estructura duraron de 1402 a 1519. En 1511 se hundió el cimborrio, que fue reconstruido por Gil de Hontanón. Entre los arquitectos más afamados que intervinieron en ella figuran los nombres de Juan Normán, Pedro de Toledo, Juan de Alava, Gil de Hontañón (cimborrio), Diego de Riaño y Martín de Gaínza (sacristía de los Cálices), Juan de Maeda (capilla real)... Entre los pintores que trabajaron expresamente para este templo figuran nombres tan de primera fila como Pedro de Campaña, Roelas, Herrera el Mozo, Murillo, Zurbarán, Valdés Leal, Alejo Fernández, Alonso Cano, Luis de Vargas... Escultores como Fancelli, Andrea della Robbia, Martínez Montañés, Miguel Perrin, etc., dejaron aquí sus terracotas, sus tallas estofadas o sus mármoles funerarios; en la madera del coro esforzaron sus gubias Nufro Sánchez y sobre todo Dancart, que finalizó la sillería; en plata cinceló sus ideas el artífice de la custodia, Arfe, que dejó aquí «la mayor y mejor pieza de plata que de este género se sabe»; en bronce plasmó las suyas Bartolomé Morel, con su tenebrario y facistoles; en hierro forjado trabajaron los rejeros fray Francisco de Salamanca, Antonio de Palencia, Sancho Muñoz, Juan de Yepes, Esteban y Diego Idobro...

Introducirse en este vasto templo de cinco naves, más las capillas, es como sumergirse en un mundo de arte donde cada detalle merece nuestra atención. Pero hay varios «hitos» en los que el visitante puede recrearse de manera especial.

Ante todo, la **Capilla mayor**: allí se alza, como una gigantesca sinfonía de formas y colores, el mayor *retablo* de toda la cristiandad. Doscientos veinte metros cuadrados con más de un millar de figuras que compendian la Historia Sagrada. Un retablo en el que trabajaron no

menos de veintiséis artistas de varias nacionalidades y que comenzó a labrar el flamenco Dancart en 1482, sucediéndole en su trabajo Bernardo y Francisco de Ortega, Jorge Fernández, etc. La parte central quedó acabada en 1521. Los laterales se llevaron a cabo de 1550 a 1564 por Diego Vázquez, Nufro de Ortega, Juan López, Pedro de Heredia, etc. Consta de cuarenta y cinco escenas o cuadros de la vida de Cristo y de la Virgen, las habituales en este tipo de «catecismos plásticos», a las que se suma la representación de los principales santos sevillanos. Este gigantesco y deslumbrante cosmos de escenas, figurillas y doseles sirve de telón de fondo para las grandes ceremonias y pontificales o para el gracioso baile de los «seises» en festividades como la Inmaculada o el Corpus Christi. Los seises son toda una institución sevillana. Se trata de los niños de coro que existían en todas las catedrales para cantar en los oficios religiosos; por aquí han conservado una indumentaria peculiar — visten como pajecillos del siglo XVI y poseen el privilegio único de poder bailar dentro del templo delante de la custodia de Arfe. Son bailes españoles antiguos, como el bolero, de una gran simplicidad, que en este

◀ *El gigantesco retablo gótico de la Capilla Mayor, el mayor del mundo, con sus 220 metros cuadrados poblados por millares de figuras.*

Detalle de la Natividad, del retablo de la Catedral.

Parte exterior del ábside de la Capilla Real, de estilo plateresco.

Altar de la Capilla Real, con la veneradísima imagen de la Virgen de los Reyes. ▶

marco soberbio de terciopelos y reflejos de oro parecen trenzados con una gracia y una levedad que pone un contrapunto de humanidad y ternura a tanta grandeza. (En el Museo de Artes y Costumbres Populares se puede seguir la evolución de vestuario y tradiciones de estos seises sevillanos).

Las soberbias rejas que cierran esta capilla mayor y que parecen reflejar en el aire con caladas formas platerescas la abigarrada multitud sacra del retablo, son obra de Fray Francisco de Salamanca y Sancho Muñoz, quienes las llevaron a término entre 1518 y 1533.

A espaldas de la capilla mayor está la **Capilla Real**, de estilo renacentista, construida a partir de 1551 por Martín de Gaínza, al que sucedió Hernán Ruiz, acabando las obras Juan de Maeda en 1575. Esta capilla, concebida como panteón real, acoge las tumbas de dos de las figuras más ilustres de los anales sevillanos. Una de estas figuras es *Alfonso X el Sabio*, que, inspirado y alentado por su madre, Beatriz de Suabia, soñó en los alcázares sevillanos con un imperio imposible, un sueño que sin embargo se haría realidad unos siglos más tarde, con Carlos V. Frente a su tumba, está ahora la de su madre, en el lateral opuesto.

En el centro, ante el altar principal, una rica arqueta

P·E·R·M·E·R·E·G·E·S·R·E·G·N·A·N·T

La Sacristía de los Cálices, de estilo gótico flamígero, conserva en su altar un bello crucifijo esculpido por Montañés en 1603.

En la plateresca Sacristía Mayor se expone la gran Custodia renacentista de plata, obra de Juan de Arfe, de 300 kilogramos de peso.

Presidiendo el transepto de la Catedral, cuatro figuras que representan los reyes de España sustentan el sarcófago con los restos mortales de Cristobal Colón. ▶

de plata de comienzos del XVIII, ofrecida por Felipe V, guarda el cuerpo incorrupto de la otra gran figura sevillana, el *rey santo Fernando III*, que la conquistó al poder sarraceno y es el patrón de la ciudad; «el más leal y el más verdadero y el más franco y el más esforzado y el más apuesto y el más granado y el más sufrido y el más humilde»: así al menos reza el epitafio escrito en latín, en árabe, en hebreo y en castellano.

La **Sacrístia Mayor** y la **Sacrístia de los Cálices**, ambas del siglo XVI, son también auténticos museos dentro de la catedral. En la opulenta escenografía de la Sacristía Mayor se muestra la *custodia de plata* de Juan de Arfe y, entre otras cosas, las llamadas «tablas alfonsinas», *relicario en forma de tríptico* ofrecido por Alfonso X. El «tesoro» hace honor a su nombre con la abundancia de cálices, relicarios y piezas de orfebrería religiosa. En la Sacristía de los Cálices, destacan los *lienzos de Goya* (representando a las santas sevillanas Justa y Rufina, las populares «cacharreras»), de Murillo, de Morales (piedad), de Valdés Leal, de Tristán... Un patético *crucifijo* de Martínez Montañés preside esta pequeña pinacoteca.

Antes de salir de la catedral, el visitante verá solicitada su curiosidad por ese pomposo grupo escultórico que, cronológicamente, es una de las últimas aportaciones a las riquezas del templo. Se trata de la **tumba de Cristobal Colón**, obra romántica de Arturo Mélida, traída hasta aquí desde la catedral de La Habana en 1899 (sepulcro simbólico, pues las cenizas del Almirante no existen). Detrás, como telón sesgado, ese enorme San Cristobal que puede verse en todas las catedrales muy fácilmente, ya que la tradición aseguraba que, en viendo la imagen del bendito San Cristobal, se tenían garantizadas las veinticuatro horas de vida siguientes. Si el visitante levanta la mirada hacia las bóvedas, reparará también en otras piezas tardías: algunas vidrieras del siglo XIX acompañan a otras más valiosas del XVI, obra de maestros flamencos.

Dos imágenes del patio de los Naranjos, de la antigua mezquita almohade. Los naranjos y una fuente ornamental hacen de él un lugar lleno de encanto y fascinación dominado por la gótica fachada de la Catedral.

PATIO DE LOS NARANJOS

El **Patio de los Naranjos** es el singular «claustro» de la catedral sevillana. Se trata del patio de la antigua mezquita, y ha conseguido hacerse un hueco entre los clichés más queridos y representativos de la ciudad. El aroma de azahar embalsamando el aire en primavera parece transido por el murmullo de pícaros y ganapanes cervantinos, que el ilustre manco hacía sentar en las gradas exteriores de este patio, donde hay ahora nuevos pícaros e hileras de calesas aguardando a los turistas.

En el centro del patio hay una fuente que procede nada menos que de la primitiva catedral visigoda. Una de las curiosidades más populares se encuentra junto a la puerta del Lagarto, precedida por un arco de herradura conservado de la antigua aljama; en lo alto, un cocodrilo de madera, colgado del techo, ha dado origen a las consabidas leyendas de princesas y dragones — pero se trata, al parecer, de una réplica del saurio enviado a Alfonso X por el Sultán de Egipto en 1260, cuando un bicho tal resultaba un verdadero monstruo por estas latitudes.

Vista, desde lo alto de la Giralda, de los muros almenados y torres de Alcázar.

LOS REALES ALCAZARES

A pesar del exacerbado «arabismo» que impera en estos palacios, poco queda en realidad de la primitiva fábrica árabe. De los alcázares musulmanes queda sólo el recinto amurallado, en el que se encuentra la **Puerta del León** (siglo XII), por donde penetra el visitante; este recinto se prolongaba hasta el río, con la Torre de Abdelaziz, Torre de la Plata y **Torre del Oro**, que debió enfrentarse a otra torre gemela, al otro lado del cauce, para tender entre ambas una cadena e impedir así el paso de navíos enemigos. De estas construcciones primitivas es también parte el **Patio del Yeso**, ejemplo único de la arquitectura civil almohade en España.

Pero los incendios, terremotos, reformas y ampliaciones posteriores borraron o absorbieron las primitivas edificaciones. Lo que ahora vemos es sobre todo el alcázar del rey don Pedro, uno de los más cumplidos ejemplos del arte mudéjar. Es decir, un palacio cristiano llevado a término por alarifes islámicos, o cristianos pero formados en la tradición artística musulmana. Este alcázar del rey Pedro I de Castilla, llamado el Cruel, quedó terminado en el siglo XIV, aunque naturalmente luego se hicieron ampliaciones y añadidos y lo que es peor, tardías restauraciones románticas no siempre guiadas por el mejor criterio. Los Reyes católicos ya hicieron trabajar en él a alarifes moros; luego, en 1526, con ocasión de la bodas de Carlos V, sufrió algunas ampliaciones; en 1624, bajo Felipe IV, se llevaron a cabo nuevas remodelaciones. Pero en su conjunto, sigue siendo uno de los mejores especímenes del arte mudéjar, ese arte peculiar español que consiste en la pervivencia, en suelo cristiano, de la tradición islámica y judía, en una época transicional en que la intolerancia cristiana no había dado al traste todavía con la convivencia de las tres culturas, cristiana, islámica y judía.

Aquí el arte mudéjar adquiere un grado de colorismo y fantasioso recargamiento que bordea la frontera entre lo sublime y lo kitsch y que influiría posteriormente en el más manido cliché del «andalucismo» de pacotilla y del «tipismo español», por extensión. Como observa con gracia y perspicacia otro andaluz buen conocedor de su tierra, Jose María Pemán, «don Pedro era un 'orientalista', pero de un orientalismo andaluz, que más anticipaba el de Zorrilla o hasta Villaespesa, que imitaba el auténtico de Bagadad... El alcázar es un caso más en el que la cerrada calificación de árabe resulta excesiva. En toda Andalucía, que recreó con un sello original de aportación arábiga, ocurre lo mismo. Y es demasiado expeditivo llamar árabe a la colorista Alhambra granadina o no valorar en la mezquita cordobesa el bosque de columnas romanas con que la Córdoba de Lucano y

La Puerta del León, en las murallas de la ciudad, presidida por un azulejo con un león rampante.

El Patio de la Montería, cuyo nombre deriva de los «Monteros de Espinosa», guardia real.

Séneca se obstina en su masculinidad».

Tras atravesar la Puerta del León, el Patio de la Montería hacía las veces de Mexuar, es decir, espacio de separación entre la ciudad y el palacio; viene luego el Patio del León, en uno de cuyos frentes se alza la fachada principal del palacio de don Pedro el Cruel. Levantada en 1364, sería ampliada en los siglos XVI y XVII por la parte de las alas. En el segundo cuerpo de esta fachada, una leyenda en caracteres cúficos, en alabanza de Alá, sirve de contrapunto a la inscripción gótica que recuerda al fautor de la obra.

El núcleo principal de esta residencia lo constituye el **Patio de las Doncellas**, flanqueado por pórticos con arcos lobulados. En las paredes, atauriques finamente trabaja-

El Patio de las Doncellas se caracteriza por su rica decoración de azulejos del siglo XVI - sin duda los más bellos de todo el palacio - y por el artesonado polícromo de sus techos.

Un ejemplo de la magnífica decoración mudéjar que recubre paredes, marcos y arcos de las puertas del Salón de Embajadores. ▶

dos y zócalo de azulejos del siglo XVI, que son de lo más logrado del arte mudéjar. Los artesonados polícromos y las puertas acentúan este refinamiento un tanto muelle y femenino. En torno a este patio se desarrollaba, según la consabida tradición árabe, la vida pública y ceremonial; en torno al más recoleto patio de las Muñecas, se desarrollaría en cambio la vida íntima y privada (en cualquier caso, la «toponimia» de estas estancias es totalmente arbitraria y debida a una tradición rutinaria y gratuita).

Así pues, las estancias que rodean este Patio de las Doncellas son las de carácter más oficial: el Salón del techo de Carlos V, que debe su nombre al soberbio artesonado renacentista en madera de cedro; tres pequeñas estancias, llamadas las habitaciones de María de Padilla, y el salón principal y más bello de este alcázar, el **Salón de Embajadores**. En el arco de acceso al salón, el lema nazarita «solo Dios es vencedor» se repite hasta la saciedad en caracteres árabes. Las puertas pudieron haber sido labradas por manos de artífices toledanos. La decoración de este salón suntuoso es de tiempos del rey don Pedro, excepto la cúpula, realizada en el siglo XV y restaurada aún con posterioridad. Sorprende la serie de retratos de todos los reyes de Castilla, hasta Felipe III, enmarcados en arquitos góticos, con sus escudos de armas y la fecha de su reinado. La pieza alargada que se abre al fondo es el Comedor, con un artesonado de la época de Felipe II.

La alta cúpula del Salón de Embajadores, del año 1420.

El Salón de Embajadores. ▶

El **Patio de las Muñecas**, centro de la vida íntima, es de una elegancia exquisita. Las columnas se remontan a la época califal y proceden sin duda de la ya por entonces devastada Medina Zahara cordobesa (los atauriques de la parte superior fueron rehechos en 1843).

Subiendo por una escalera de la época de Carlos V, entre bellos azulejos del XVI, llegaremos a una serie de salas revestidas de tapices flamencos, franceses y madrileños de los siglos XVII y XVIII. En el **Oratorio de los Reyes Católicos**, más azulejos, esta vez conformando un pequeño altar y pintados por Niculoso Pisano, en 1504. Vienen luego las Salas de los Infantes de Reyes, el dormitorio del Rey don Pedro y la cámara de doña María, con más artesonados y azulejos. Los apartamentos reales, a continuación, se han mantenido en uso por la Casa Real española.

Desde el Patio del León se puede acceder a las **salas de los almirantes**, que albergaron la Casa de la Contratación, y donde se proyectaron algunos de los principales viajes al nuevo mundo, sobre todo el de Magallanes alrededor del globo. Los muros están revestidos de tapices de los siglos XVII y XVIII y en el famoso cuadro «*La Virgen de los navegantes*», de Alejo Fernández, algunos han creído ver la efigie de Colón, a la derecha, rodeado por los hermanos Pinzón.

También desde el Patio del León se accede al patio de María de Padilla, en una serie de edificaciones que se llevaron a cabo durante el siglo XVIII, bajo el reinado de Felipe V, sobre las ruinas de un palacio gótico (de finales del siglo XIII o tal vez comienzos del XIV), del cual se han conservado algunos elementos semienterrados, como la galería abovedada que se conoce vulgarmente por Baños de María de Padilla. A estas construcciones de estilo gótico pertenecían la capilla y un amplio salón transformado en oratorio bajo el reinado de Felipe V y el salón de Carlos V.

En la capilla, los azulejos son del siglo XVI y el retablo, barroco, del XVIII. En la colección de pinturas destaca una espléndida *Natividad* de escuela granadina. El Salón de Carlos V con una techumbre de bóvedas ojivales y azulejos pintados por Cristobal de Augusta en 1577, guarda una soberbia colección de tapices que narran con brillante colorido las andanzas del emperador en la conquista de Túnez; fueron realizados estos tapices en 1554 por Pannemaker sobre los cartones de Jan Cornelius Vermeyen, pintor que acompañó al emperador en la expedición bélica de 1535 (algunos de estos tapices no son los originales, sino que fueron sustituidos por copias ya en el siglo XVIII).

También en el llamado Salón del Emperador se exhiben otros *tapices flamencos* de finales del XVII sobre la creación del hombre, y también aquí volvemos a encontrar una buena muestra de la azulejería andaluza del siglo XVI.

Los **jardines del Alcázar** siguen la tradición arábigo-andaluza de lugar esencial y complementario en las residencias palaciegas. Pero también aquí metieron mano los ulteriores residentes. Ya Carlos V añadió un *Pabellón*, con galerías de columnas y bellos azulejos pintados por Juan Hernández

El Patio de las Muñecas, llamado así por las cabecitas femeninas de los capiteles.

◀ *En el Cuarto de Almirante se conserva el retablo de la Virgen de los Marineros. Hay quien sostiene que la figura derecha, a los pies de la Virgen, representa a Cristobal Colón.*

Los Jardines del Alcázar, dispuestos en terrazas y plantados con palmeras y naranjos son una de las más excelsas expresiones del arte andaluz.

(1543), presidiendo la parte llamada de Carlos V; avenidas sombreadas por palmeras, pasillos geométricos de boj ensanchándose para arropar un surtidor a ras de suelo o una sencilla fuente... serenidad clásica y renacentista. Luego se dispusieron *Los Grutescos*, con su neoclásica artificiosidad. En el gran estanque en el que se reflejan los penachos desmelenados de las palmeras, una *fuente de bronce*, con Mercurio sobrevolándola fugazmente (obra de Diego Pesquera). El Apeadero, una amplia sala con columnas de mármol que permite la salida hacia el Patio de Banderas y desde allí a la Plaza del triunfo, fuera ya del recinto, evoca con su solo nombre los carruajes de bestias que paraban en este punto. Jardines de origen árabe, jardines cristianos, renacentistas, barrocos, dieciochescos, modernos... Pero conservando siempre ese «espíritu andaluz» inconfundible, ese aroma leve y penetrante a la vez de naranjos y limoneros, arrayanes y jazmines, acacias y cipreses, arrullados por el agua generosa de surtidores y fuentes entre los reflejos metálicos y polícromos de los azulejos...

SEVILLA, ESA NUEVA BABILONIA

El siglo de oro español, aquel momento irrepetible tras la unificación política del suelo patrio y el descubrimiento del Nuevo Mundo en que España se llenó de soldados, aventureros, misioneros, teólogos, santos, místicos, pícaros, bribones y ganapanes, fue también una edad de oro para la ciudad de Sevilla. «Esa nueva Babilonia», llegó a llamarla Lope de Vega, quien le dedicó alguna de sus piezas de capa y espada. El Guadalquivir era entonces navegable y el carcácter portuario de la urbe contribuye en parte a explicar esta eclosión social.

Como consecuencia de todo aquel trasiego, Sevilla quedó ennoblecida con palacios, conventos, iglesias, monumentos y edificios de diversa índole que asombran hoy día al visitante. Una relación sucinta de los más notables es imprescindible para completar el perfil básico de esta ciudad privilegiada.

PROVINCIAL

◀ *Estatua de la Inmaculada Concepción en la plaza del Triunfo.*

La austera fachada de la Casa Lonja, sede del Archivo de Indias, de gran valor para la historiografia de la conquista y colonización americanas.

CASA LONJA

Entre la catedral y las murallas del Alcázar, cerrando con uno de sus flancos la concurrida **Plaza del Triunfo** — donde un aparatoso monumento recuerda la contribución de los teólogos sevillanos para dejar en claro la *Inmaculada Concepción* de la Virgen María, lo que le valdría a la muy noble y leal ciudad el titulo oficial de «mariana» — se alza, muy bien ambientada entre palmeras, la **Casa Lonja** que albergaría luego el **Archivo de Indias**. Construida en el más puro estilo herreriano, según planos del propio Herrera, entre 1583 y 1598, estuvo destinada en principio como Lonja o Casa de Contratación para el comercio de Indias. Pero al fundarse el Archivo de Indias, en 1784, este quedó alojado en tan sobrio edificio. Todos los documentos relativos al descubrimiento de América, a las conquistas y descubrimientos de los conquistadores y navegantes, permanecen aqui custodiados a disposición de eruditos e investigadores.

Fachada posterior del ayuntamiento en la Plaza Nueva.

AYUNTAMIENTO

Al otro lado de la catedral, presidiendo como un Jano bifronte las plazas Nueva y de San Francisco (de la que parte la popular calle Sierpes, la arteria más animada y «clasica» de la urbe, ennoblecida por las citas cervantinas), se encuentra el Ayuntamiento. Construído hacia 1527 según planos de Diego de Riaño, es un ejemplar fundamental del llamado arte «plateresco», es decir ese arte renacentista cuya riqueza de ornamentación hace pensar en la filigrana de los orfebres. Aparte de su interés arquitectónico, conserva en su interior cuadros y objetos artísticos de primer orden.

HOSPITAL DE LA CARIDAD

El Hospital de la Caridad fue fundado en el siglo XVI como sede de una Cofradía cuyo piadoso cometido era el de asistir a los condenados a muerte en los últimos momentos y dar cristiana sepultura a los ajusticiados. Su fundador, don Miguel de Mañara, especie de «señorito» sevillano vividor y casquivano que acabó arrepentido y entregado a la caridad para redimir su pasado, fue tal vez el inspirador de la figura de Don Juan Tenorio, uno de los grandes mitos universales del que se han hecho eco escritores, músicos y ensayistas como Tirso de Molina, Zorrilla, Molière, Mozart, Max Frisch, Marañón, etc.

CASA DE PILATOS

La Casa de Pilatos, propiedad de los Duques de Medinaceli, es una de las más suntuosas mansiones sevillanas, tanto por su arquitectura como por sus colecciones artísticas. Construida a finales del siglo XV, combina los estilos mudéjar, gótico y renacentista. Su nombre se debe a que, según la leyenda, es una fiel reproducción del palacio de Pilatos en Jerusalén. En torno a un patio principal, con la mejor azulejería de España, se abren estancias convertidas en un interesante museo de estatuaria clásica.

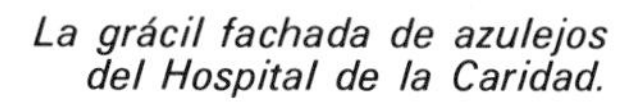

La grácil fachada de azulejos del Hospital de la Caridad.

Patio de la Casa de Pilatos con su doble disposición de 24 arcadas y su finísima decoración de azulejos en relieve.

La Puerta de la Macarena, del siglo XVIII, cerca de la basílica del mismo nombre.

La veneradísima imagen de la Virgen de la Macarena, obra de la escultora Luisa Roldán. ▶

LA CIUDAD DE LA GRACIA

Ninguna otra ciudad de España (y cualquier sevillano se atrevería a añadir que del universo mundo) posee la misma «gracia», es decir, esa personalidad alegre y desenfadada, ese buen humor y alegría de vivir, ese optimismo visceral y estoico, ese don de la hipérbole y de la imaginación, esa fantasía cálida y colorista que se plasma en cada gesto, en cada frase, en cada rincón.

Los gestos y las frases no se visitan: ellos saldrán al encuentro del viajero en cada instante. Pero los rincones sí pueden visitarse. Y los mejores rincones de Sevilla se amalgaman como células vivas y forman los barrios. El tipismo, la gracia de Sevilla se refleja sobre todo en los barrios.

El más famoso en el mundo es, sin duda alguna, **el barrio de Santa Cruz**. Un pequeño laberinto acurrucado entre las murallas del Alcázar y los jardines de Murillo. Un pañuelo. Pero en recorrerlo puede tardarse todo el tiempo que dé de sí la fantasía. Los nombres de las calles, de lo más evocador: callejón del Agua, calle de la Pimienta, Vida, Jamerdana, Mezquita, Cruces... En la **Plaza de Santa Cruz** una cruz de cerrajería forjada en el siglo XVIII y que recuerda la tradición folklórica de las «cruces de mayo». En cada calle, balcones rebosantes de flores, en cada tapia, una invasión de buganvillas y jazmines, en cada portal, un oasis de macetas y de fuentes. El visitante desprevenido creerá hallarse ante el refinamiento floral y acuático del habitat moruno; pero se engaña: todo este barrio fue «inventado» allá por los años veinte de nuestro siglo por el más insigne precursor del turismo «científico» en España, el Marqués de la

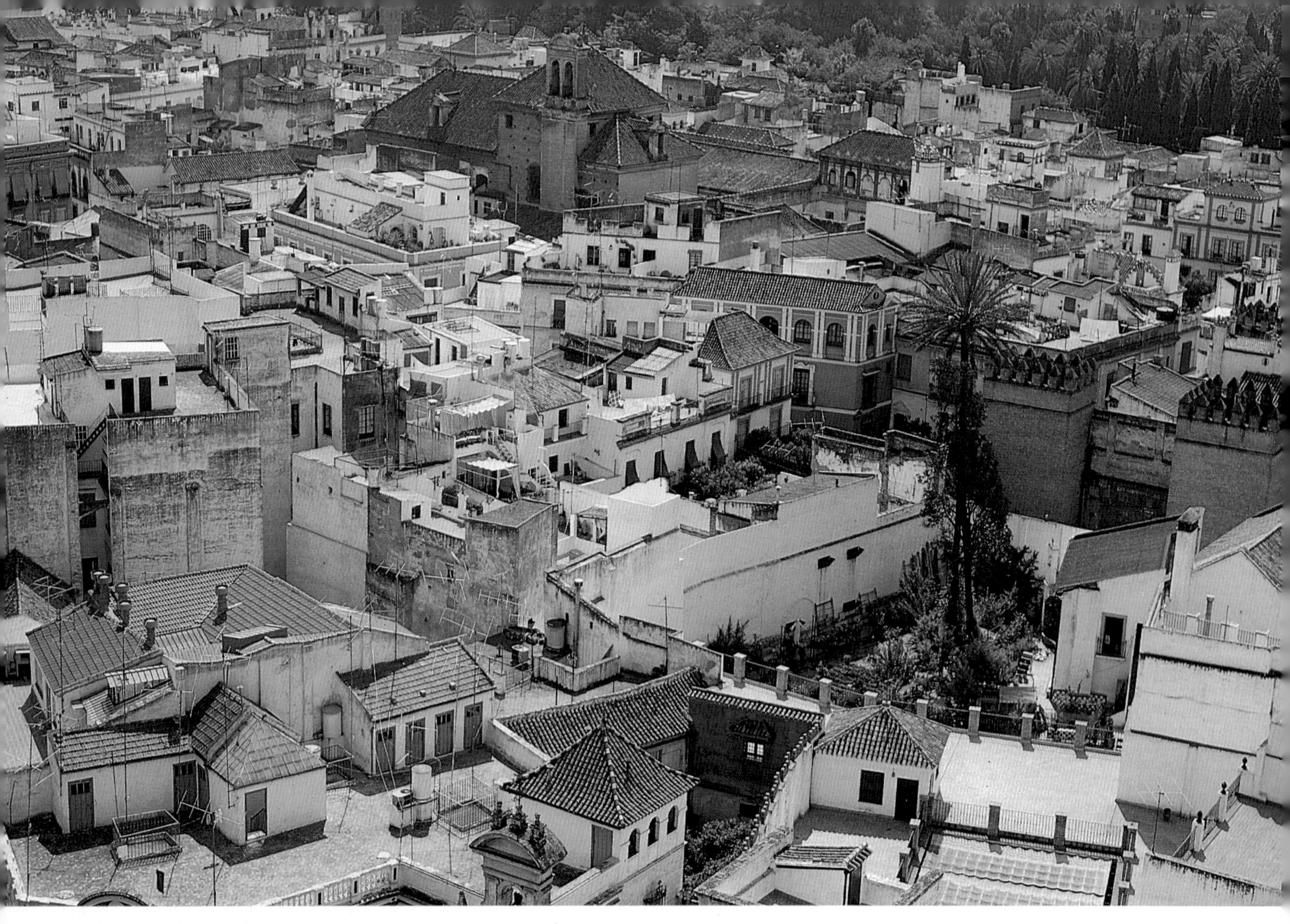

El barrio de Santa Cruz.

Cruz de la Cerranjería, de 1695.

En el hospital de los Venerables Sacerdotes se halla hoy el Museo de la Semana Santa, con numerosos «pasos», los grupos de la pasión que desfilan por las calles de la ciudad durante las procesiones de Semana Santa. ▶

Vega Inclán (el mismo que se inventó la toledana Casa del Greco y cosas por el estilo...)

Otro barrio cuyo nombre ha resonado en todos los confines del mundo es **Triana**. Rodrigo de Triana se llamaba el primero que avistó tierra del Nuevo Mundo y trianeros serían muchos de aquellos expedicionarios, pues Triana era la orilla marinera de Sevilla, cuando el río era navegable. Triana ha dado además apellido a muchos toreros, cantaores, bailaores... Hoy día el barrio ha perdido su fisonomía física y urbanística, pero no su identidad espiritual. Los trianeros se sienten orgullosos de haber nacido en Triana y cuando sacan a «su» Virgen, la Esperanza de Triana, se pegan si hace falta con los del barrio «enemigo» por excelencia, los devotos exaltados e irreductibles de la «Macarena». **La Macarena**, la otra virgen «rival» de la Esperanza de Triana que configura y anima todo un barrio, con su basílica de arquitectura «sevillana» cien por cien, precedida de un arco o puerta triunfal, que en la medianoche del jueves santo alcanza una cima irrepetible de vibración y misterio.

PARQUE DE MARIA LUISA

Y entre los barrios, arropándolos y completando la fisonomía sevillana, los parques y jardines. Jardines de prosapia, como los del Alcázar, jardines de «uso» cotidiano, como los de Murillo, jardines elevados a la categoría de pequeña ciudad dentro de la ciudad, como el celebérrimo Parque de María Luisa. Un parque netamente romántico, que aparece como escenario en las tonadillas y coplas más acarameladas del repertorio «español», que dedica sus avenidas a los Cisnes o al más importante poeta romántico del país, el sevillano Gustavo Adolfo Bécquer. Glorietas, paseos, calesas tiradas por caballos, estanques con nenúfares, bancos y laberintos de azulejería... Un perfume romántico casi puro.

◀ *Cuatro aspectos del barrio de Santa Cruz, lleno de gracia y misterio.*

Dos vistas del Parque de María Luisa, con su exuberante vegetación y románticos rincones.

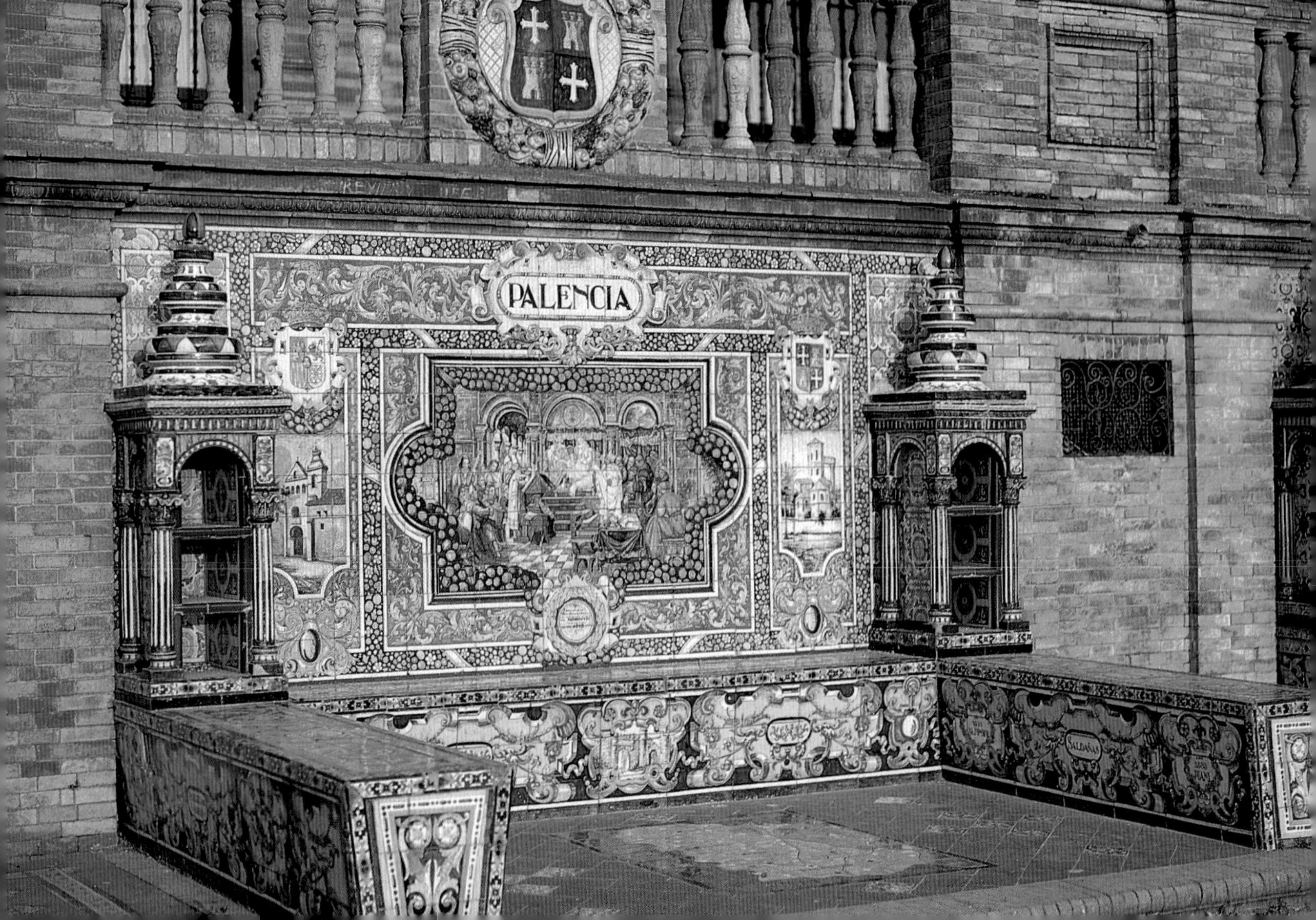
PALENCIA

Cuatro vistas de la Plaza de España, rodeada de los imponentes edificios de la Exposición Ibero-Americana de 1929. Son de una gran belleza los bancos revestidos con paneles cerámicos, con alegorías de las 58 provincias españolas.

Allí se instalaron los pabellones para la gran Feria Iberoamericana de 1929. Lo que pudo haber sido el degüello para el parque, fue en cambio su gloriosa coronación. No se levantaron construcciones efímeras ni instalaciones de quita y pon; al contrario, hoy día la dulzona arquitectura de la **Plaza de España**, realizada con los elementos más tradicionales (ladrillo visto, azulejos, fantasía populista, color) forma parte irrenunciable del perfil sevillano.

El destino del Parque de María Luisa aparece definitivamente ligado a la idea de América. Además de cobrar su definitiva fisonomía con la Exposición Iberoamericana, aparte de que sus calles y paseos estén dedicados también a los héroes de la epopeya americana, la otra gran plaza que delimita sus contornos es precisamente

Fachada del Museo Arquelógico, que posee numerosas obras de arte de gran valor.

En la Plaza de América surge también el pabellón, que alberga el interesante Museo de Artes y Costumbres Populares.

En el Paseo de Cristobal Colón se yergue la Torre del Oro, así llamada porque un tiempo estuvo revestida de azulejos dorados. ▶

la **Plaza de América**. Un espacio elíptico, animado de jardines, terrazas y palomas, convertido hoy día en corazón de Andalucía. En efecto, de los tres pabellones que enmarcan la plaza, el que preside desde uno de los cabos de la elipse es el **Pabellón Real**, hoy sede de la Junta de Andalucía o Gobierno Autónomo. Para el turista, sin embargo, tienen más interés los otros dos pabellones enfrentados: el Pabellón Renacimiento, al sur, alberga el **Museo Arqueológico de Sevilla**, uno de los más interesantes del país en cuanto a estatuaria y antigüedades romanas; no en vano fue la Bética una de las provincias más romanizadas del Imperio. También se exhiben huellas anteriores a Roma, sobre todo el Tesoro del Carambolo, que nos hace remontarnos a la enigmática civilización autóctona de Tartesos.

El pabellón norte, enfrente, es el Pabellón Mudéjar que alberga el **Museo de Artes y Costumbres Populares**. Una visita obligada para conocer «por dentro» las formas tradicionales de vida de los sevillanos: mobiliario, enseres, céramica, vestuario, joyas, devociones, aficiones, juegos y distraciones, toros y toreros...

Hablando de toros: no sería justo dejarse en el tintero una referencia al menos a la plaza de toros más famosa y bella del mundo, la **Real Plaza de la Maestranza**. Un coso comenzado en 1760, aunque retocado después, pero levantado con toda la nobleza de la piedra y el ladrillo reposando sobre columnas de mármol, un redondel donde han peleado con la muerte los mitos más grandes del toreo, Joselito y Belmonte entre otros...

La célebre plaza de toros de la Maestranza es el mayor coso de toda España y tiene una capacidad de 14.000 espectadores.

RUINAS DE ITALICA

El otro punto de interés arqueológico, pegado casi a la capital, son las ruinas de Itálica. Lo que queda de una ciudad romana esplendorosa, saqueada durante siglos, utilizada como cantera para levantar mezquitas, palacios o conventos y que ya en el siglo XVI el poeta Rodrigo Caro lamentaba como «campos de soledad, mustio collado».

No obstante, aún puede rastrearse la traza de calles y aceras, la huella de las mansiones con sus suelos de mosaico, las alcantarillas y obras de urbanización. Y sobre todo, aún quedan los restos de un gran anfiteatro que nos dan vaga idea de la importancia que debió tener aquella metrópoli. Al lado, levantado con esas mismas piedras venerables, el **Monasterio de S. Isidoro del Campo** fue erigido por Guzmán el Bueno, uno de los «héroes nacionales» que lanzó su propia daga para sacrificar a su hijo desde las almenas de su fortaleza antes que entregarla a los infieles como canje. Su cuerpo reposa allí, a la sombra de un bellisimo *retablo* de Martínez Montañés.

A pocos kilómetros de Sevilla se hallan las ruinas romanas de Itálica, ciudad que fundaran los Escipiones y que fue cuna de los emperadores Trajano, Adriano y Teodosio.

CORDOBA

Córdoba es una de esas pocas ciudades del mundo en las que reina el espíritu: una ciudad espiritual en el sentido más lato y enriquecedor de la palabra.

Fundada por los cartagineses, conquistada por los romanos, ocupada por los godos, conservó, frente al paso inexorable del tiempo, algunas huellas de estas civilizaciones, más espirituales que materiales: en efecto, pocas piedras romanas siguen en pie, pero los nombres de Séneca o Lucano son un patrimonio cultural de la humanidad.

Pero el gran momento de esplendor le llegaría después. Tras ser conquistada por los moros, en el año 711, se convirtió en la capital de un dilatado emirato continuamente ensanchado por la sucesión de veinte emires que llegaron a batir las puertas de la Europa norteña, aunque finalmente fueran derrotados en Poitiers. A mediados del siglo VIII un príncipe omeya, a raíz del cambio dinástico de los abásidas a los omeyas de Damasco, se refugió en Córdoba y se proclamó Emir de Andalucía bajo el nombre de Abderramán I. Ahí comenzó la mayor gloria de Córdoba, llevado a su cenit por Abderramán III, que se proclamó Califa en el 929; por su hijo Alhaquén II y por el fiero peleador Almanzor, brazo derecho del califa Hixam II.

Durante ese siglo X, «siglo de hierro» para la Europa central y septentrional, Córdoba alcanzó en cambio el apogeo de su esplendor y se convirtió en la ciudad más populosa y civilizada de Occidente, sólo

Córdoba, vista desde la torre de la Catedral.

Patio de los naranjos, adornado por palmeras y naranjos, y por cinco fuentes.

comparable a la capital cristiana a la sazón, Constantinopla. Su mezquita se convierte en el monumento más rico y deslumbrante del islam, pero llega a poseer otras trescientas mezquitas, palacios suntuosos, casas de baños, alcantarillado, alumbrado público... un urbanismo, en fin, desconocido entre los reinos cristianos.

Y paralelo a este bienestar material, el esplendor intelectual: Maimónides, el médico y filósofo judío; Averroes, introductor en Europa del pensamiento aristotélico; el poeta Ibn Hazam, son nombres clave para la historia de la cultura occidental. Pero no es menos definitivo el hecho de que fuera Córdoba el puente por el que el legado de la antigua cultura griega y romana no se perdiera y llegara hasta Europa.

La abolición del califato omeya en 1031 conllevó la fragmentación de Al-Andalus en diversos emiratos rivales y una creciente decadencia. A principios del siglo XIII, y tras el definitivo golpe sufrido por los almohades en las Navas de Tolosa, Córdoba es tomada por Fernando III el Santo y vive varios siglos de inseguridad fronteriza, hasta la definitiva unificación cristiana de los Reyes Católicos. Aún tendrá destellos de gloria y dará a luz hijos tan insignes como el Gran Capitán o el poeta Luis de Góngora.

La postración posterior, acentuada durante el siglo XIX, empezó a remontarse con la llamada «generación del 27», continuándose esa recuperación, en el plano social y económico, durante nuestros días.

LA MEZQUITA-CATEDRAL

La aljama principal de la ciudad califal fue iniciada en el año 788 por el primer califa, Abderramán I, sobre la planta de un templo visigodo anterior, que a su vez se alzaba sobre los restos de un templo romano. Parte de los elementos arquitectónicos preexistentes fueron aprovechados en la construcción de la mezquita y así pueden verse, en la parte más primitiva, columnas y capiteles de origen romano y visigótico. El hijo de Abderramán I, Hixam I, acabó la mezquita y edificó el minarete; esa primitiva construcción constaba de once naves perpendiculares al Patio de los Naranjos. Abderramán II, entre el 833 y 848, ensanchó la mezquita prolongando las naves hacia el fondo, es decir, hacia el río. Alhaquém II hizo una nueva ampliación y llevó las naves hasta la máxima profundidad que permitía el terreno, limitada por la cercanía del río. El *mihrab* que hizo construir en la *qibla*, o muro del fondo, es el que podemos contemplar hoy día. Finalmente, Almanzor, al no poder agrandar la mezquita por el fondo, ensanchó la sala de oración por uno de los laterales, añadiéndole

Externo de la Mezquita-Catedral, la mayor mezquita del mundo islámico después de La Meca.

La alta Torre del Alminar coronada por una estatua del arcángel San Rafael.

otras ocho naves, con lo que el mihrab quedó descentrado. Esta parte es fácilmente identificable por el pavimento, por el muro primitivo que cerraba el recinto y por la uniformidad estilizada de los capiteles de las columnas.

Durante el reinado de Carlos V, el Cabildo tuvo la infausta ocurrencia de levantar una catedral dentro del bosque de columnas musulmanas. Iniciadas las obras en 1523, sólo se terminaron doscientos cincuenta años más tarde, con lo que se fueron sumando diversos estilos arquitectónicos, del gótico al barroco, pasando por el plateresco y el herreriano.

Se puede penetrar al **Patio de los Naranjos** por varias puertas, la principal de las cuales es la **Puerta del Perdón**, de construcción mudéjar. Junto a ella se alza la torre herreriana, que no es sino una especie de «forro» pára salvar y fortalecer el viejo minarete levantado por Abderramán... y que serviría luego de modelo a los alminares almohades de Sevilla, Rabat y Marrakech, que encontrarían mejor fortuna; ese primitivo minarete se encuentra, pues, «embutido» dentro de la torre actual.

Tras atravesar el patio que todas las mezquitas debían poseer, se penetra de pronto en un auténtico oasis petrificado que invita al recogimiento y la oración. En

Desde lo alto de la torre puede apreciarse la robusta solidez de los muros de la Mezquita.

La entrada principal de la Catedral está formada por los tres arcos árabes de la Puerta del Perdón.

El bosque de columnas del interior de la Mezquita.

efecto, los arcos entrecruzados cabalgando sobre las columnas asemejan palmeras que tamizan una luz suave para acompañar al creyente en su recogimiento. Avanzando por este oasis de columnas, más de ochocientas (la imagen del oasis, por más que sea socorrida, es la más ajustada y expresiva), se pueden apreciar fácilmente las sucesivas fases de construcción: en la parte más antigua, aparecen columnas aprovechadas, capiteles visigodos y hasta romanos. Los arcos que sobre ellas cabalgan muestran una característica alternancia de bandas rojas y blancas, inspirada quizá en ejemplos hispanorromanos (acueducto de Mérida) e inspiradora a su vez de la arquitectura islámica subsiguiente, al menos en parte. Dejando a un lado la catedral cristiana, y tras atravesar las capillas de Villaviciosa y Capilla Real, mudéjar, llegamos hasta la *qibla*, la pared del fondo en la que se abre el *mihrab*, o «sancta sanctorum» orientado hacia La Meca y donde se guardaba el libro santo, el Corán.

El mihrab es, lógicamente, la parte más suntuosa de la mezquita y donde concentraron su esmero los constructores y alentadores de la obra. Ante este mihrab, el arte califal, en una especie de afán de sublimación, llega a la efusión «barroca» y elegantísima de unas arquerías cabalgando sobre otras, formando una especie de entrelazado o encaje arquitectónico — este barroquismo del arte árabe se repetiría magníficamente en el palacio zaragozano de la Aljafería.

La qibla está adornada, arriba, por una teoría de arcos lobulados, con el fondo cubierto de mosaico dorado y adorno de atauriques. Debajo se despliega el *alfiz*, ese gran tablero que enmarca las puertas monumentales del arte árabe. Entre las molduras del alfiz, una inscripción cúfica, en caracteres de oro sobre fondo azul, canta las alabanzas de Alá. El arco de herradura, con la característica alternancia cromática en las dovelas, se asienta sobre cuatro columnas — dos rojas y dos verdes — que proceden del primitivo mihrab de Abderramán II (el que se encontraba donde ahora está la capilla de Villaviciosa). Una extensa inscripción conmemorativa nos recuerda que fue Alhaquen el califa constructor, en el año 965, de esta joya. El zócalo son tablas de mármol finamente labradas con motivos vegetables.

El interior del mihrab se halla cubierto por una origi-

El mihrab, con su característica minúscula decoración de las paredes.

La cúpula del mihrab, que posee una extraordinaria acústica, se construyó a partir de un solo bloque de mármol. ▶

nal cúpula en forma de concha o venera.

Uno de los elementos que contribuyen a dar mayor sensación de riqueza y suntuosidad son los mosaicos que cubren muchas de las superficies. Son obra de artistas bizantinos, enviados por el emperador Nicéforo desde Constantinopla, la ciudad donde el arte del mosaico ha alcanzado las cotas más altas de perfección.

A la derecha, la *maqsura* es el lugar reservado para que el califa pudiera dirigir los rezos; por detrás de la maqsura un pasadizo permitía al soberano salir y entrar en el recinto sagrado y llegarse directamente a palacio sin tener que mezclarse con los demás fieles.

En el centro del bosque de columnas, la sorpresa: la **catedral cristiana** del siglo XVI, con un innegable inte-

rés intrínseco, pese a su torpe ubicación. El retablo mayor, de mármol rojo, con pinturas de Palomino, y los púlpitos churriguerescos avalan ese interés. Pero lo más valioso tal vez sea el *coro*, obra maestra del sevillano Pedro Duque Cornejo (siglo XVIII).

En la sacristía y en la sala capitular se guarda el tesoro catedralicio: relicarios, cálices, un *crucifijo de marfil* atribuido a Alonso Cano y, sobre todo, la magnífica custodia de plata de Arde.

Una curiosidad lleva ineludiblemente a los grupos más populares de turistas hacia una de las columnas del muro de acceso; se trata de la *cruz del cautivo*; se supone que un cautivo cristiano, en poder de los sarracenos, grabó en el mármol con sus propias uñas un Cristo en la cruz (en realidad, no es más que «uno de los signos de posesión que con las dagas y espadas iban marcando los conquistadores en las mezquitas y palacios de que se apropiaban por las armas», según R. Ramírez de Arellano.

Alrededor de la mezquita se abre un cinturón de capillas y aditamentos cristianos — es especialmente interesante la *capilla de San Pablo*, con un *retablo* de P. de Céspedes — si bien los continuos trabajos de restauración están tratando de devolver su brillo a este monumento singular, la más bella mezquita del occidente mu-

Vista de la Catedral cristiana del interior de la Mezquita.

Detalle de los elaboradísimos sillares de madera del Coro.

Vista de la cúpula ovoide del crucero, cuyo lujo contrasta con la simplicidad del edificio árabe. ▶

sulmán y una de las más insignes del islam, junto con la de los Omeyas de Damasco o Al Azhar de El Cairo.

Finalmente, si queremos contemplar la más antigua de las puertas de acceso a la mezquita, hemos de acudir a la **Puerta de San Esteban**, que, a pesar de la fuerte erosión que padece, presenta el mejor ejemplo de este tipo de portadas en la época califal.

CORDOBA ROMANA

La antigua Colonia Patricia y capital de la España ulterior, aparte de las figuras de Séneca, el filósofo, del poeta Lucano y de esa otra gran figura de la romanidad cristiana, el Obispo Osio, rector del Concilio Ecuménico de Nicea, nos ha legado algunos monumentos romanos de interés. El más importante sin duda, ese armonioso **puente** que cruza el Guadalquivir, enfrente mismo

Mansedumbre del Guadalquivir.

El puente romano atraviesa ágilmente el río con sus dieciséis arcadas.

La pequeña fortaleza árabe de Calahorra, en la orilla izquierda del río. ▶

En la margen derecha del Guadalquivir, la Puerta del Puente, erigida durante el reinado de Felipe II en forma de arco de triunfo de estilo dórico.

de la mezquita. Aunque su construcción se remonta a la época de Julio César, fue retocado en épocas posteriores. La **puerta del puente**, en el extremo de acceso a la ciudad, fue levantada en época de Felipe II y su traza herreriana, sobria y de resonancias clásicas, encaja bien con el diseño del puente. Al otro extremo, una torre árabe reforzaba el sistema defensivo de la ciudad; es la **Torre de la Calahorra**, que fue reconstruida por los cristianos en el siglo XIV y alberga actualmente el **Museo Histórico de la Ciudad**. Por bajo del puente romano, en el río, aún pueden verse restos de molinos árabes, entre los que descollan el de la Albolafia, el de Enmedio y el Molino de Papel. La imagen de esa gran rueda de tradición y nombre árabes destinada a extraer el agua del río, la *noria*, es una de las estampas tradicionales de la ciudad, acuñada en viejas monedas y grabados.

Detrás del Ayuntamiento, se pueden ver las monumentales columnas estriadas, con capiteles corintos, de un **templo romano** que allí hubo y cuyo roto esqueleto puede completar la fantasía. Y poco más queda de época romana: algunos lienzos de muralla pertenecientes a ese período y, sobre todo, las colecciones custodiadas en el Museo Histórico y Arqueológico, del que en seguida hablaremos.

ALCAZAR DE LOS REYES CRISTIANOS

Mención aparte merece el Alcázar de los Reyes Cristianos, fundado por Alfonso XI en pleno siglo XIV y en el que fijaron su corte por un tiempo los Reyes Católicos. Dentro del recinto amurallado, reforzado por torres, el viejo palacio ha sido transformado en museo, con algún sarcófago y mosaicos de la época romana. Sus evocadores jardines tratan de rememorar el espíritu árabe y el ambiente recoleto y silencioso donde la música de los surtidores, con su variada monotonía, parece remedar los melismas espirales del canto flamenco (precisamente junto a este recinto se celebra cada año el más importante festival de flamenco puro).

Dos imágenes del Alcázar de los Reyes Católicos, con las estatuas de Fernando, Isabel y Cristobal Colón.

CORDOBA MORA Y JUDIA

También de la época árabe se conservan lienzos de muralla, y también hay numerosos objetos de aquellas calendas en el mencionado Museo Arqueológico. Pero el legado más importante de los árabes a la ciudad, es, con mucho, su mezquita.

Aparte de esa joya única, poco es lo que nos ha llegado si tenemos en cuenta el esplendor que la ciudad alcanzara en la época califal. Los restos más sobresalientes son, sin duda, los de la ciudad de recreo **Medina Azahara**, a poco más de una legua del caso urbano. Este «Versalles» califal fue construido en el siglo X por Abderramán III, con un sistema defensivo de doble muralla y una serie de palacios y pabellones escalonados en tres terrazas excavadas en la falda de Sierra Morena; también había una mezquita, cuarteles, dependencias, etc., incluso un acueducto para traer el agua de las montañas.

Pero la vida de esta ciudad resultó efímera: tras la caída del califato, fue saqueada y arrasada, sirviendo

Puerta del Almodóvar, moresca, con la estatua del filósofo Séneca, nacido en Córdoba.

Detrás de la estatua de Averróes (nacido en Córdoba en 1126), las poderosas murallas.

durante siglos de cantera para obtener materiales. Las pacientes obras de excavación y reconstrucción que se vienen llevando a cabo desde hace muchos años nos permiten contemplar hoy día, reedificado, un «salón real o de los Visires» y, en fase avanzada, la mezquita. Hay un museo, en el propio recinto de Medina Azahara, para acoger los numerosos fragmentos decorativos de estuco y mármol finamente trabajados.

La tradición judía también posee un peso específico en Córdoba. Sabido es que no existe un arte propiamente «judío», sino que los hebreos adoptaban y utilizaban el arte imperante en cada lugar y en cada época. Los restos judíos de Córdoba aparecen asimilados al arte islámico o al mudéjar. **La judería** cordobesa es uno de los barrios más llenos de sabor y tipismo, con sus callejuelas estrechas y sus casas pegadas a la muralla, ceñida ahora de jardines, estanques y estatuas, junto a la Puerta de Almodóvar. Por allí se encuentra la **Sinagoga**; es la única que se ha conservado en Andalucía y data del siglo XIV. En los fragmentos de yesería de sabor arábigo de su decoración aparecen los caracteres de inscripciones hebraicas. Una sencilla estatua de Maimónides recuerda al célebre médico y filósofo judío que llenó con su brillo el firmamento de la cultura medieval.

En el corazón de la Judería, antiguo barrio judío, la pequeña plaza y la estatua dedicadas al gran pensador y médico judío Maimónides.

CORDOBA CALLADA

Ese es otro de los encantos de Córdoba y no el menor. Si el poeta definió a Córdoba como «callada» fue, sin duda, por el silencio apretado de sus patios y callejas.

Córdoba callada delata enseguida su ascendencia árabe por su endémica inclinación a los perfumes. No es sólo en los patios pasear por las callejas cordobesas, en primavera, es ir envuelto en un sueño de jazmines y azahares, de un vago y a la vez penetrante aroma vegetal que en la semana santa alcanza una cima orgiástica con las nubes de incienso y el olor de la cera quemada. Los callejones de Córdoba callada («herida honda y curada con cal») son un atractivo turístico tan importante como lo puedan ser iglesias y museos: *calleja de las Flores*, de los Rincones de Oro, de los Arquillos, de la Luna... Calle de la Hoguera, Calle Judíos, calle Comedias... plazuelas y rincones que escapan a la fácil definición de la palabra y requieren la amorosa definición del tacto y la mirada...

Dos vistas de la Plaza de los Dolores, en cuyo centro está la estatua del Cristo de los Faroles.

Patio Judería, calle de las Flores y calle Encarnación, tres de los rincones más característicos de este barrio. ▶

LA CATEDRAL
FRUTOS SECOS

El Festival de flamenco, que se celebra cada año, es una de sus más puras manifestaciones. (Hay aires propios de la tierra, como el *polo*). Y en cuanto al toreo, basta con dejarse caer por el **Museo de Arte Cordobés y Taurino**. Allí se venera la memoria de los llamados «califas del toreo» (Lagartijo, Machaco, Guerrita y Manolete, que tiene su monumento frente a la fachada gótica de Santa María), en un ambiente que llega a tener algo de «kitsch». Ese ambiente de gusto un tanto dudoso se acentúa en otro pequeño museo, el **Museo Julio Romero de Torres**. En una escenografia d'annunziana y decadente se muestran obras de indudable valor simbolista junto a auténticos pastiches del más ramplón de los gustos.

Pero las plazas y rincones cordobeses nos sorprenderán también con museos de mucha más enjun-

◀ *Plaza del Potro, citada por Cervantes en el Quijote.*

◀ *Ejemplo de la elaboración del cuero, artesanía típica de la ciudad.*

Fachada de la iglesia de Santa Marina. En la plaza, un monumento recuerda a Manolete, uno de los más célebres toreros españoles.

dia: en la **plaza del Potro**, donde se alza uno de los célebres «*Triunfos*» dedicados al arcángel San Rafael y una fuente citada por Cervantes, se encuentra el **Museo Provincial de Bellas Artes**. En este museo, junto a grandes maestros españoles (Goya, Zurbarán, Morales, Ribera Murillo...) y extranjeros (Rubens, Tiziano, Rafael, escuelas flamenca e italiana...), se dedica una cariñosa atención a los artistas del terruño: Alejo Fernández, Pablo de Céspedes, Palomino, Mateo Inurria...

Otro palacio renacentista, el de Jerónimo Páez, aloja el **Museo Arqueológico Provincial**, uno de los más notables de España en el género. Guarda colecciones de antigüedades ibéricas, romanas, paleocristianas, con piezas de cerámica, estatuaria, orfebrería, vidrios, etc. También son notables los objetos de la época islámica.

◀ *Puestos de recuerdos para turistas en la plaza de la Corredera.*

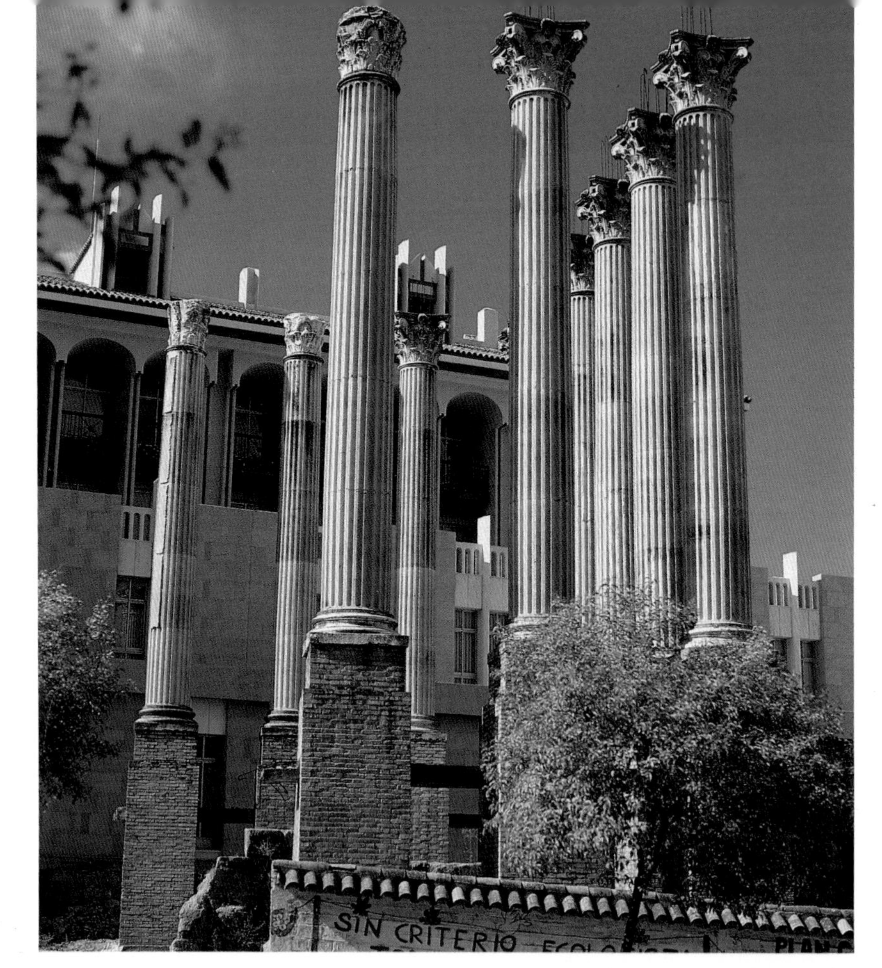

Las columnas de un templo romano se yerguen frente a la fachada del Ayuntamiento.

Patio del Museo Arqueológico Provincial.

Vista del puerto y de la ciudad desde lo alto.

El portal de gusto clásico en la parte izquierda de la Catedral. ▶

Vista de las murallas almenadas de la antigua fortaleza árabe de la Alcazaba. ▶

ALMERIA

De Almería puede decirse que es a la vez la tierra menos visitada y seguramente la más vista y conocida de Andalucía: en efecto, pocos turistas llegan hasta este rincón de clima extremadamente suave y seco, que permite cultivos imposibles para el resto de Europa; pocos de los turistas, foráneos o incluso españoles, que abarrotan las playas de la afamada Costa del Sol se introducen en este «ángulo muerto» de la geografía, donde sin embargo las playas poseen una belleza salvaje e intacta, una virginidad casi imposible, pueblos y urbanizaciones que conjugan lo mejor de la tradición con las más vanguardistas soluciones arquitectónicas, como ese enclave privilegiado de Mojácar; pocos conocen la artesanía de esta tierra a trasmano, que por eso mismo se ha conservado con mayor lozanía... Y sin embargo millones de espectadores de todo el mundo han visto alguna vez sus desiertos, sus barrancas, sus paisajes calcinados y pintorescos como telón de fondo de incontables «spaghetti-westerns» y cintas de todo pelaje y nacionalidad.

Y no es que el pasado de Almería no sea rico: fundada por los fenicios, sufrió las sucesivas ocupaciones que se sucedieron en suelo andaluz y llegó a ser uno de los puertos más importantes de la Península durante el emirato omeya de Córdoba. «Cuando Almería era Almería, Granada era sólo su alquería», reza un dicho popular, recordando inútilmente las glorias del pasado.

Pero al caer el califato cordobés y tras un breve período de esplendor como capital de un emirato independiente, cayó en manos de los almorávides, en el año 1091, convirtiéndose en un nido de piratas. Conquistada en 1147 por el rey Alfonso VII, retomada poco después por los árabes, acabó siendo entregada en 1489 a los Reyes Católicos, en su imparable campaña de conquista y unificación del suelo patrio bajo el signo intransigente de la cruz.

El nombre que le impusieron los árabes, Almería, quiere decir «espejo». Un apelativo muy acertado cuando se contempla desde la lejanía la ciudad recostada sobre la colina en la que se yergue soberbia su Alcazaba dorada, reflejándose el conjunto en las aguas glaucas de un Mediterráneo que parece aquí más cansado y sabio que en ninguna otra parte.

LA ALCAZABA

La Alcazaba almeriense es su principal atractivo. Fundada en el siglo X por el califa cordobés Abderramán III, fue agrandada por Almanzor y posteriormente por Hayrán, el primer emir independiente de Almería. Ocupa una colina rocosa a cuyos pies se extiende la ciudad, y se defendía con varios cinturones de murallas almenadas.

Tras atravesar un primer recinto, convertido hoy en jardín, se llega al segundo reducto, donde se encontraba el palacio de los emires; sólo quedan hoy día los cimientos de los baños y estancias palaciegas. En el tercer recinto, reconstruido en su día por los Reyes Católicos, se conserva un imponente bastión defensivo.

LA CATEDRAL

También la catedral de Almería posee un cierto aire de fortaleza — de hecho se encuentra reforzando las defensas del frente del recinto que da al mar. Construida a partir de 1524, siguiendo los planos de Diego de Siloé, quedó finalmente inacabada. La *fachada* más importante es la que da a la Plaza de la Catedral, en estilo renacentista, así como la que da a la calle Perdones;

Cuatro imágenes del pintoresco barrio de la Chanca, con sus casas excavadas en la toba.

ambas se deben a la inspiración de Juan de Orea (siglo XVI). Dentro del templo, en un ambiente sombrío y un tanto obscurantista, hay algunas obras de interés: en la capilla mayor, un gran *retablo* dieciochesco; en el coro, la *sillería* tallada por Juan de Orea, el mismo artífice de las fachadas ya mencionadas; son asimismo notables el sepulcro del fundador del templo, el Obispo Villalán, en una de las capillas que conserva además el *retablo de Araoz*, de escuela flamenca; también dos piezas dieciochescas de importancia: una *talla de Salzillo* y la arquitectura neoclásica del *trascoro*, obra del polémico arquitecto Ventura Rodríguez.

BARRIO DEL CHANCO

Hay otras iglesias importantes (la de Santiago, San Pedro, Santo Domingo...) y rincones llenos de tipismo (como el **barrio del Chanco**), pero lo obligado aquí es escaparse hacia la sierra de Gador, por la carretera de Berja y Ugíjar, para admirar paisajes incomparables o buscar en esos barrancos calcinados y ríos secos de los desiertos almerienses el lejano país de tantas aventuras intrépidas contempladas alguna vez en la mágica oscuridad de los cinematógrafos...

10

Panorama del puerto de Málaga y del verde Paseo del Parque.

La imponente fachada de la Catedral, uno de los monumentos más importantes del Renacimiento andaluz. ▶

MALAGA

Málaga cantaora. Así la definió el poeta y así es Málaga. Ciudad de poetas que vio nacer al premio Nobel Vicente Aleixandre y a otros de la generación del 27. Una ciudad alegre y confiada, capital indiscutida de la Costa del Sol, esa cinta litoral soleada, elegante y bulliciosa a la vez, que compite con todo derecho con otras «rivieras» de rancia tradición, como la italiana o la Costa Azul. Ahora la alegría de vivir, los famosos del espectáculo, los nobles de la sangre, los jeques del petróleo, se refugian en este paraíso posible que es la Costa del Sol, y su fama y el sol incansable y sus orillas doradas atraen como moscas a legiones de turistas lechosos y arracimados en «charters» de todas las procedencias para codearse con el gotha inaccesible y con la «jet-society» de todo el mundo.

A unos y otros acoje Málaga y su Costa del Sol con el mismo carácter abierto de siempre. Málaga, la alegre y cantaora, es una tierra de asilo en su más intima raíz histórica. Por ella han pasado todas las civilizaciones. Sus vinos densos y generosos han sobrecargado naves fenicias y romanas, sus noches consteladas han arropado las modulaciones melancólicas de emires enamorados, como acogen ahora los torpes palmoteos de turistas aflamencados en los tablaos nocturnos.

Estrabón atribuyó su fundación a los fenicios. Pronto pasó a manos de los cartagineses, luego a las de los romanos. Tomada por los árabes en el 711, fue capital de un emirato independiente que no quiso someterse a la férula del emir cordobés Abderramán. Tras el asedio cristiano, en 1487, fue tomada por los reyes católicos, pero fueron numerosos los moriscos que siguieron viviendo en ella, hasta su desgraciada expulsión decretada por Felipe III a comienzos del siglo XVII. Cuando las luchas entre liberales y absolutistas, en el siglo pasado, Málaga jugó un papel importante (el General Riego proclamó aquí nuevamente la constitución liberal en 1820), pero sus monumentos y su traza urbanística sufrieron graves perjuicios. Otro tanto ocurrió con los disturbios de 1931, tras la proclamación de la República, y en la guerra civil de 1936.

Málaga fenicia, cartaginesa, romana, mora, cristiana... pero siempre alegre y cantaora a pesar de las adversidades, siempre abierta a todos. Y no solo para el ocio y el *dolce far niente* de las playas, también para el trabajo y el comercio: su puerto es el más importante de Andalucía y por él circulan tanto las mercancías como los viajeros deseosos de probar su hospitalidad milenaria.

TURISTICA
CATEDRAL

ROMANOS, MOROS Y CRISTIANOS

En dos colinas que presiden desde lo alto los brazos acogedores del puerto, se concentran los recuerdos más nobles del pasado malagueño: recostado en la falda de la colina ocupada por la Alcazaba, está el teatro romano; unido a la alcazaba por el cordón defensivo de murallas, el castillo de Gibralfaro. A los pies de ambos promontorios, la catedral, el sagrario, la ciudad llana por donde discurren los pasos majestuosos de la semana santa.

LA CATEDRAL

A la catedral malagueña le ocurre como a la Victoria de Samotracia o a los torsos desmembrados de la estatuaria clásica: nadie se imagina ya a esta catedral «acabada»; su imagen truncada, cojimanca de una torre, será para siempre así, sin que eso importe mucho.

A pesar de todo, su aspecto es soberbio. Las obras, en cuyos planos intervino Diego de Siloé, se iniciaron en 1528, pero se detuvieron en 1783. Una torre quedó sin rematar, así como parte del frontón central. Y sin embargo, tal vez por la pátina del tiempo y la fuerza de la costumbre, la gran fachada principal parece haber encontrado un estado de definitiva armonía que nadie piensa en alterar.

En el interior, de vastas y elegantes proporciones, destacan algunas piezas, como esa «*Piedad*» de Alonso Cano en el trascoro o la sillería del Coro, con esas cuarenta *estatuillas de santos* realizadas por Pedro de Mena. En las capillas, hay obras de Alonso Cano, Mateo Cerezo y sobre todo, de Pedro de Mena (*santos, esculturas orantes de los Reyes Católicos*).

Frente a la catedral, el palacio episcopal contribuye con su fachada barroca a la escenografia rota del conjunto. Más allá, junto al jardín que arropa a la catedral, el **Sagrario**, con su espléndida portada isabelina y en su interior un *retablo* plateresco de Juan de Balmaseda.

Aunque la ciudad de Málaga no posee el sabor de conjunto pintoresco que han mantenido otras capitales andaluzas, suple esas deficiencias arquitectónicas con la agradable perspectiva de sus paseos y parques, que arropan el núcleo fundamental y son un pulmón y un oasis para el casco antiguo, un tanto caótico.

Hay, de todos modos, algunas iglesias y edificios de interés, como la **iglesia** circular **del Santo Cristo**; el **Consulado**, construido en 1872; la **iglesia de San Pedro** y su pequeño **museo de la Semana Santa**; la **iglesia de Santiago el Mayor**, una de las más antiguas, construida en 1490 y que ha conservado una torre mudéjar preexistente; la de **Nuestra Señora de la Victoria**, construida por los Reyes Católicos poco después de tomar la ciudad sobre el lugar mismo en que estuviera enclavada su tienda (se guarda en este templo una patética *Dolorosa* de Pedro de Mena).

◀ *La Catedral vista desde lo alto.*

◀ *Un flanco de la Catedral con los contrafuertes semicirculares que ciñen el portal.*

Dos imágenes del gran Parque de Málaga, que en sus treinta mil metros cuadrados de superficie alberga una infinidad de especies de plantas tropicales.

Otras capillas tienen un interés más bien sentimental y romántico, como la capilla donde se venera «*la Zamarrilla*»; una leyenda popular, recogida luego en la literatura «culta», atribuye a esta imagen un curioso acontecimiento: un célebre bandido enamorado, al ser sorprendido por la justicia cuando se hallaba con su amante, huye y no encuentra otro sitio para esconderse que el camarín de la Virgen; cuando los corchetes penetran en la capilla y buscan en el camarín, no ven nada; y el bandido, agradecido, prende un clavel en el pecho de la Virgen con su propio puñal, pero entonces la imagen comienza a sangrar...

Los poderosos muros de Gibralfaro hacen de telón de fondo de una graciosa fuente.

Una cruz de hierro forjado en la subida que conduce a la Alcazaba.

CASTILLO DE GIBRALFARO

Unido a la alcazaba por las murallas, está el castillo de Gibralfaro, fortaleza de origen fenicio, reconstruida por el emir Yusuf en pleno siglo XIV. Poco hay que ver de la arruinada fábrica, pero los ojos tienen aquí otra ocupación placentera, pues el panorama sobre la ciudad y sus parques arropando los muelles del puerto, sobre «la Malagueta» o el Paseo Marítimo, bien merece el esfuerzo de conquistar esta cima.

LA ALCAZABA

La alcazaba, en esa misma colina, fue seguramente también una fortaleza romana, pero fueron los moros quienes la reconstruyeron en el siglo IX y establecieron en ella la residencia de los gobernadores. Grande fue la incuria en que permaneció este recinto durante siglos, pero una restauración perseverante e inteligente ha ido haciendo recobrar la pureza de sus líneas esenciales y la placidez de sus jardines. En uno de los pabellones, junto a la puerta de Granada, se ha instalado un pequeño **Museo Arqueológico** que recoge colecciones prehistóricas y romanas, visigodas y árabes, entre las que destacan las esculturas marmóreas de época romana y las piezas de cerámica hispano-musulmana.

MUSEO DE BELLAS ARTES

Un capítulo aparte merece el Museo de Bellas Artes, instalado en el Palacio de los Condes de Buenavista, un bello edificio renacentista del siglo XVI con dos patios. En él pueden verse *pinturas de escuela flamenca* de los siglos XVI y XVII, algunos lienzos de Luis de Morales, Lucas Jordán, Alonso Cano, etc., así como varios Murillos y Riberas. También posee este museo una notable *colección de imaginería religiosa*, con piezas de Alonso Cano, Pedro de Mena, etc.

Una sección especial del Museo está dedicada a los artistas malagueños de los siglos XIX y XX. Pero lamentablemente es muy poco, apenas un recordatorio sentimental, lo que hay en este museo del más insigne artista malagueño y uno de los genios de la pintura de todos los tiempos: Pablo Picasso. Además de dos pequeñas muestras de juventud y algunos grabados, el recuerdo de Picasso se ha querido perpetuar en su Málaga natal con una lápida en la casa que le vio nacer, una edificación humilde venerada hoy por los malagueños frente a un parque recoleto donde las palomas parecen más mensajeras de paz que en ningún otro lugar del mundo.

TEATRO ROMANO

El teatro romano, construido bajo el reinado de Augusto, quedó abandonado en el siglo III. Nada resta de la riqueza de mármoles y pórfidos con que estuviera embellecido, pero sus proporciones altivas atestiguan la gloria pasada.

Dos vistas del interior del Museo Arqueológico.

LA COSTA DEL SOL

La Costa del Sol, propiamente hablando, ocupa más que el litoral malagueño: se extiende desde la frontera de Granada con Almería hasta ese punto y coma final que parece poner el peñón de Gibraltar, en la provincia de Cádiz.

Entremedias, un rosario de nombres evocadores: **Salobreña**, con su castillo roquero. **Almuñécar y Motril**, con sus playas y urbanizaciones de luminosa arquitectura. **Nerja**, con sus famosas cuevas de estalactitas y su «balcón de Europa»; **Torremolinos** la babel de la Costa del Sol, una verdadera ciudad a caballo entre el lujo y el caos surgida como por ensalmo sobre el pintoresco emplazamiento de un pueblecito de pescadores; **Fuengirola**, más familiar y tranquila; **Marbella**, el epicentro más aristocrático y lujoso de esta costa, el santuario de famosos, vividores y millonarios de todo el mundo; **Estepona**, de nuevo apacible y familiar; **Sotogrande**, avis-

Imágenes de Torremolinos, uno de los más destacados centros turísticos españoles.

V.L.F. 698

tando ya Gibraltar, un refugio discreto para millonarios menos ostentosos que los de Marbella...

Pero la Costa del Sol no es sólo la fachada marítima: una pequeña excursión desde el litoral hacia el interior lleva al viajero en pocos minutos a algunos de los pueblos más bellos de Andalucía. Así, desde Nerja se asciende al morisco pueblecito de Frigiliana; desde Fuengirola, a la turística **Mijas**, desde Estepona, hasta Casares y Gaucín, buenos ejemplos de los «pueblos blancos» de la serranía.

Pero sobre todo, desde San Pedro de Alcántara, pasada Marbella, se asciende hasta **Ronda**: una de las ciudades clave dentro de la mitología de lo español y una de las más bellas y pintorescas de toda Andalucía.

No son las ruinas del teatro romano, ni los baños árabes, ni el minarete de San Sebastián, ni sus iglesias, ni su Posada de las Animas, ni sus palacios y casas lo que más atrae al visitante, no: lo que más ha llamado siempre la atención del viajero, desde los románticos del siglo pasado hasta nuestros días, es el «tajo» de Ronda, el emplazamiento soberbio de la ciudad colgada sobre un barranco de grandiosa profundidad. Rilke quedó deslumbrado por este paisaje místico y se quedó a escribir versos y cartas sobre la línea de casas aplastada entre la roca y las nubes. Por otro lado, para los amantes del flamenco y de los toros, Ronda es otra capital de taifas, que ha prestado su apellido a dinastías enteras de toreros y cantaores, la puerta de una serranía infectada de bandoleros y raciales Cármenes de grabado...

Dos vistas de Marbella, la playa más elegante de la Costa del Sol.

Ronda, una impresionante vista del Tajo con la intrépida mole del Puente Nuevo.

Ronda, una imagen del Arco de Felipe V que conduce al Puente Romano.

La amplia fachada de la Catedral de Cádiz.

CADIZ

Cádiz, salada claridad. Cádiz marinera: una ciudad asentada en el extremo de un istmo que la une a tierra firme, sin campos, sin tierras a sus espaldas, sino la mar, el mar luminoso de su bahía de plata, cerrada ahora por una carretera-puente que evita dar el rodeo.

El mar ha configurado siempre la historia de esta ciudad vieja, una de las más antiguas de occidente, que ya en el siglo XII antes de nuestra era mantenía relaciones con los puertos fenicios de Tiro y Sidón. La Biblia recoge este intercambio entre los productos manufacturados que traían las naves fenicias, llevándose a cambio el estaño necesario para la fabricación del bronce y la plata que, al parecer, abundaba en este borroso reino de Tartessos. La fenicia Gadir fue luego cartaginesa, luego fue la Gades romana; cayó enseguida en manos de los invasores árabes, tras la batalla de Guadalete (711) y sería conquistada por Alfonso X en 1262.

Pero no acabó ahí el papel histórico jugado por la ciudad: tras el descubrimiento de América, su puerto adquirió suma importancia, por lo que fue apetecida y asediada por los ingleses. Durante la guerra de la Independencia, se convirtió en el último refugio de los liberales, que se reunieron en Cortes y proclamaron la famosa Constitución de 1812, abolida luego por el absolutismo de Fernando VII, pero que ha mantenido a través del tiempo toda la fuerza de un símbolo y de un ideal.

Hoy Cádiz es un gran puerto transatlántico, comunicado regularmente con Barcelona, Canarias y Latino-América, una ciudad inquieta social y culturalmente, con importantes recursos turísticos, tanto en la propia metrópoli como en los pueblos de su provincia, que recuerdan insistentemente en su toponimia que aquí se ventiló durante siglos la movediza «frontera» entre los reinos cristianos y musulmanes.

La plaza de San Juan de Dios, con sus umbrosas palmeras, y la fachada del Ayuntamiento, de gusto clásico.

CÁDIZ, SALADA CLARIDAD

Los recuerdos más antiguos de Cádiz no pueden verse en sus calles; apenas ha conservado monumentos antiguos, lo cual se explica fácilmente por su agitada y belicosa historia, sobre todo por los destrozos del siglo pasado. Hay que ir hasta el **Museo Arqueológico** para encontrar algunas huellas de tartesios, fenicios o cartagineses — de todos modos, Cádiz es una ciudad que no ha sido excavada sistemáticamente, y continuamente aparecen restos al cimentar nuevos edificios.

La **catedral** gaditana es tardía, del siglo XVIII y su estilo barroco y neoclásico solo pierde su pesadez cuando se la contempla desde el mar al que da la espalda. En su interior, resulta sobre todo interesante la *sillería del coro*, obra de Pedro Duque Cornejo. Hay además algunas piezas importantes de imaginería, como el *San Bruno* de Montañés o el *crucifijo* atribuido a A. Cano; también pinturas, como una *Inmaculada* de Murillo y un tesoro en el que destaca la *Custodia del Millón*, atribuida a Arfe.

El **Oratorio de San Felipe Neri**, donde se reunieron

◀ *La Catedral de Cádiz, vista desde el mar.*

◀ *Una de las numerosas playas de las cercanías de Cádiz.*

Fachada churrigueresca de la Colegiata de Jerez de la Frontera.

durante el asedio francés las Cortes que elaboraron la Constitución de 1812, posee en el altar mayor una notable *Inmaculada* de Murillo. Hay otras iglesias y capillas en las que puede detenerse el viajero atento a esos pequeños «descubrimientos» que dan color y sabor a una ciudad en su conjunto. Así, puede visitarse la catedral vieja, fundada en el siglo XIII, pero reconstruida en el XVII; o la **capilla del Hospital del Carmen**, con un admirable Greco y un viacrucis de azulejería dieciochesca; la **iglesia de la Santa Cueva**, con algunas *pinturas murales* debidas a Goya; la **de San Agustín**, con *tallas* de Martínez Montañés; la **capilla de Santa Catalina**, en la ronda de la Península y frente al océano: en su altar mayor hay varios *lienzos de Murillo* (uno de ellos, su última obra, pues se mató al caer del andamio cuando trabajaba en él) y tallas del murciano Salzillo.

Pero los mejores tesoros artísticos de la ciudad se conservan en el **Museo de Bellas Artes**, que constituye una de las Pinacotecas más ricas e interesantes de la región andaluza. Hay diversas obras de Murillo, de Ribera, de Alonso Cano, Rizi, Carreño, Claudio Coello... y también algunas piezas de pintores no españoles, como Rubens o Van Eyck. Pero lo que quizá destaque más, cuantitativamente, es la *colección de Zurbaranes* que guarda este museo; algunos de estos lienzos se consideran como lo mejor de la producción zurbaranesca y proceden, en buena parte, de la otrora próspera y luego abandonada Cartuja de Jerez.

JERE Z, ARCOS
LOS PUEBLOS DE LA FRONTERA

Jerez de la Frontera es otra de esas ciudades andaluzas donde cobran vida algunos de sus mitos más característicos: si en Ronda eran los toros, aquí son los caballos, los famosos «cartujanos», y el vino más universal de todos los vinos, el jerez.

Es una ciudad en la que el arte se entrelaza con esa mitología andaluza y le presta su soporte: así, su magnífica Colegiata sirve de marco para las populares fiestas anuales de la Vendimia; la cartuja, a escasos kilómetros del centro, con su claustro gótico, fue depósito de los célebres caballos a los que dio nombre y que tienen Feria anual. Y muchos otros tesoros artísticos, religiosos y civiles: restos de un alcázar, baños árabes, torres y murallas, conventos, iglesias, palacios, caserones... Y unas «catedrales» muy peculiares, las llamadas «catedrales del vino», esas bodegas inmensas donde se elaboran, mediante el peculiar sistema de la solera», los diversos tipos de jerez.

Arcos de la Frontera es otro de los pueblos con ma-

◀ *Tres imágenes de la Colegiata de Jerez de la Frontera.*

Un moderno azulejo y dos típicas rejas de Jerez de la Frontera.

yor personalidad de toda la geografía española: abundan los monumentos y las obras de arte: castillo, ayuntamiento, iglesias, conventos, capillas, hospitales, asilos, casas señoriales... Pero hay algo que trasciende la nutrida relación de monumentos, retablos, pinturas, artesonados, etc.: y es la constitución misma del pueblo, con el amasijo de casas y callejuelas ascendiendo hacia la mole de la iglesia y luego hacia el mirador privilegiado del castillo de los Duques de Arcos. Una estampa inolvidable que sirve de marco a una de las semanas santas más características y que inspiró historias tan afortunadas para la literatura y la música españolas como la de la pícara molinera y el enamorado corregidor.

Los pueblos de la frontera son más y a cual más pintoresco: **Vejer de la Frontera**, con su castillo árabe dominando el caserío de sabor moruno, una de las poblaciones más típicas de esta costa. **Castellar de la Frontera**, prototipo de los «pueblos blancos» de la serranía de Cádiz, con su castillo roquero desde el que se divisa Gibraltar; Jimena de la Frontera, Conil de la Frontera, Chiclana de la Frontera...

En las famosas bodegas de Jerez de la Frontera, auténticas catedrales del vino, nace el conocidísmo jerez, o «sherry».

INDICE

ANDALUCIA

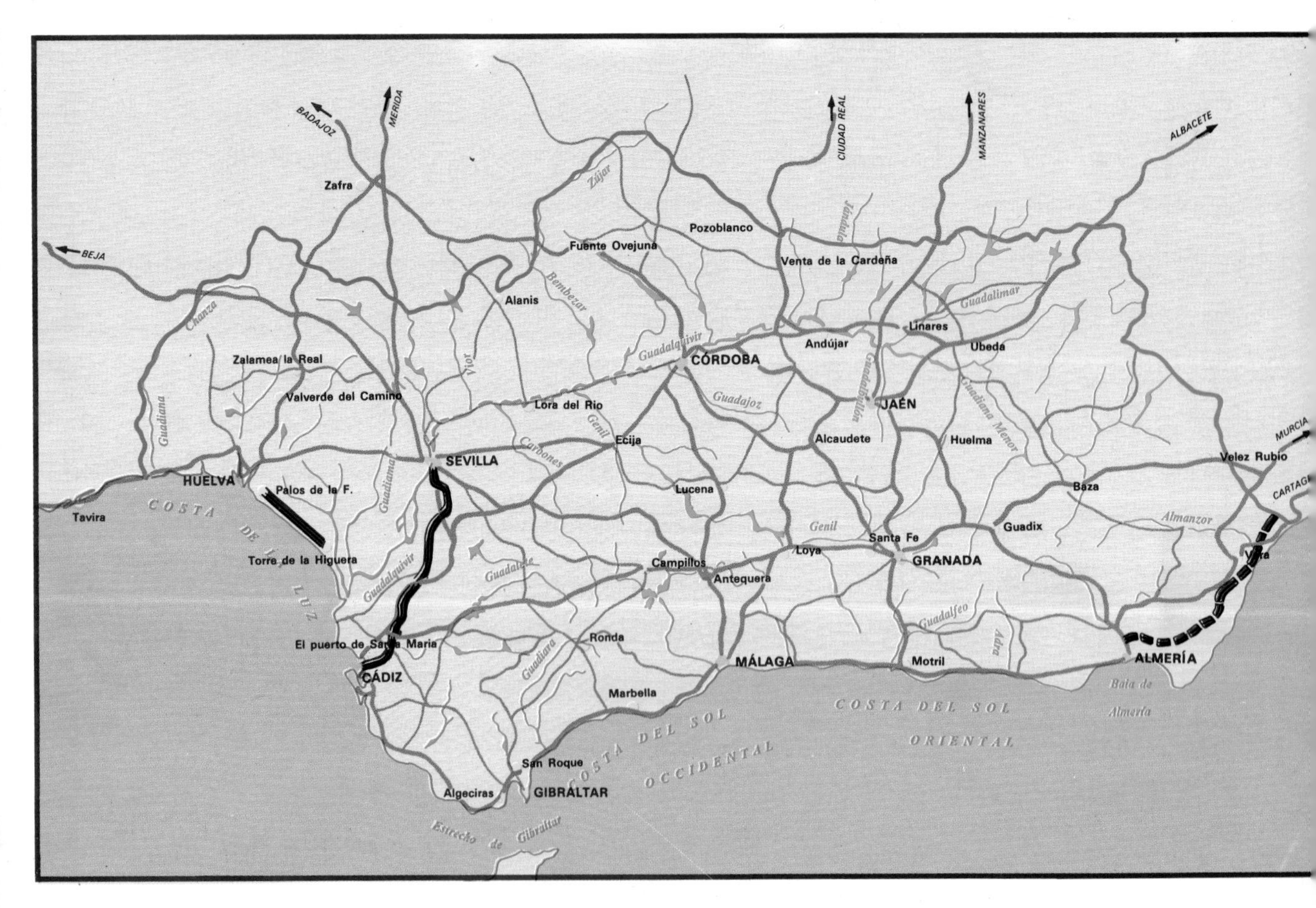
BADAJOZ
MERIDA
CIUDAD REAL
MANZANARES
ALBACETE
BEJA
Zafra
Pozoblanco
Fuente Ovejuna
Venta de la Cardeña
Alanis
Linares
Andújar
Ubeda
Zalamea la Real
CÓRDOBA
Valverde del Camino
Lora del Rio
JAÉN
Ecija
Alcaudete
Huelma
MURCIA
SEVILLA
Velez Rubio
HUELVA
Palos de la F.
Lucena
Baza
Tavira
Santa Fe
Guadix
Torre de la Higuera
Loya
GRANADA
Campillos
Antequera
El puerto de Santa Maria
Ronda
MÁLAGA
Motril
ALMERÍA
CÁDIZ
Marbella
San Roque
Algeciras
GIBRALTAR
COSTA DE LA LUZ
COSTA DEL SOL OCCIDENTAL
COSTA DEL SOL ORIENTAL
Bahía de Almería
Estrecho de Gibraltar
Guadiana
Chanza
Zújar
Bembezar
Viar
Guadalquivir
Guadajoz
Genil
Carbones
Guadiamar
Guadalete
Guadiaro
Guadalfeo
Adra
Almanzor
Guadalimar
Guadiana Menor
Jándula
Guadalbullón